TOULOUSE

un autre regard
a different perspective

Photographies
Dominique Viet

Textes
Chantal Cabanel - Inard

Éditions Daniel Briand

TOULOUSE
un autre regard

Une ville née d'un fleuve

Toulouse est née de la Garonne. De ce fleuve qui prend sa source en Espagne, elle a gardé un tempérament de ville du Sud. Accueillante et gaie, elle attirera aux cours des siècles des peuples venus de régions très différentes, sa position géographique entre mer et océan, sa proximité avec l'Espagne, faisant d'elle dans un permanent brassage des populations, un carrefour facilitant les communications. La communication, ça lui va bien, car elle est bavarde, elle sait raconter son histoire à travers les vestiges de son passé, mais parfois, secrète, elle exige que l'on aille à sa rencontre et dévoile alors des merveilles jalousement gardées.

La brique

Toulouse ville accueillante, Toulouse ville gaie. Sa gaieté éclate dans la couleur flamboyante de ces briques qui déjà avant l'ère chrétienne servirent à son édification. Consciente de son originalité, elle joue de tous les tons d'une gamme qui décline les jaunes et les rouges à l'infini et se pare dans les rayons du soleil couchant d'un éclat qui sans cesse ravive la flamme des ses amoureux.

Certains, dit-on, sont partis au bout du monde à la recherche du « rayon vert ». A Toulouse, ceux qui savent, vont assister à l'automne à l'embrasement des quais, quand dans les rayons du soir, la Daurade rougissante participe à cette fête de la lumière.

Le vandalisme des hommes

D'ailleurs on peut dire que Toulouse, ville du Sud, a un tempérament de feu : souvent rebelle, c'est toujours avec passion qu'elle a traversé l'Histoire, payant parfois un lourd tribut sur l'autel de ses excès. Car Toulouse a souffert. Quand on la voit aujourd'hui, exhibant fièrement des monuments dont l'originalité et la beauté témoignent de la grande métropole qu'elle a toujours été, peut-on se douter de toutes les mutilations qu'elle a subies? Peut-on ignorer que des monuments entiers ont été détruits par la folie des hommes? Le premier bâtiment de la Daurade n'a-t-il pas vu au XVIIIe siècle éclater ses mosaïques d'or sous les pioches des vandales?

Peut-on oublier que Saint-Sernin, la Daurade, Saint-Étienne possédaient des cloîtres exceptionnels, tous détruits par l'obscurantisme anti-religieux de l'après-Révolution?

Si de nos jours la Dalbade étire sa masse puissante, mais sans clocher, sait-on que celui-ci s'effondra en 1926, parce qu'à la Révolution on avait supprimé sa flèche car elle attentait au principe d'égalité avec ses 83 mètres, dépassant orgueilleusement celle de Saint-Sernin qui n'atteignait que 67 mètres? Ce clocher qui avait tenu front aux outrages du temps depuis le XVIe siècle, ne dût sa chute dramatique qu'à la reconstruction, dans un matériau sans doute trop lourd, de sa flèche en 1882. C'est aussi à l'obscurantisme de cette époque que l'on doit de voir l'ensemble conventuel des Jacobins transformé en quartier d'artillerie...

Outrages du temps et de la nature

Le vandalisme des hommes et les outrages du temps ou de la nature ont privé Toulouse de certaines richesses dont seuls quelques vestiges, maintenant enfin respectés, peuvent témoigner.

Les incendies répétés, dont l'ampleur était accentuée par le vent d'Autan et par la construction des maisons faites en paillebart —argile et paille— et en corondage —charpente de bois, ont détruit des quartiers entiers, alors que venant s'ajouter à leurs effets catastrophiques, les inondations se succédaient au rythme des saisons, ravageant la ville basse près du fleuve, emportant les ponts et les bâtiments riverains.

Les invasions

Mais Toulouse, volontaire et courageuse, a toujours su surmonter les épreuves, faisant de l'adversité le moteur de son développement.

Les Celtes

Ainsi en fut-il de ses diverses occupations : si les deux siècles de son invasion par les Celtes —les Volques Tectosaques— demeurent dans un flou historique, sa conquête par les Romains qui, elle, dura quatre siècles, laissera, outre des vestiges architecturaux ou artistiques, la marque d'un développement administratif, économique et culturel.

Les Romains

C'est d'ailleurs cette ville prospère que les Wisigoths choisiront dès 415 pour capitale d'un royaume allant de la Loire à Gibraltar.

Sous la domination des Francs, avec Clovis à leur tête, Toulouse perdra de son intérêt pour les régnants.

La dynastie des Comtes de Toulouse verra aux XIᵉ et XIIᵉ siècles l'expansion de cette ville où affluent des populations désireuses de travailler, artisans, commerçants s'installent tandis que s'organise une classe de notables qui va bientôt présider aux destinées de Toulouse —les Capitouls.

Mais un conflit religieux entre le Languedoc, le roi de France et le Pape, va apporter à Toulouse intrigues et querelles. Le catharisme laissera derrière lui divisions, croisades et massacres et établira l'Inquisition dans le Languedoc avec l'installation des frères prêcheurs de l'ordre de Saint-Dominique ou Dominicains.

Parallèlement à ces évènements dramatiques, Toulouse confirme sa place dans la chrétienté, les bâtisseurs de ce temps érigeront des monuments dont l'architecture témoigne d'une véritable résurrection de la création artistique. La basilique romane de Saint-Sernin est presque achevée, l'église de la Daurade brille de l'or de ses mosaïques, la cathédrale Saint-Etienne hésite entre roman et gothique. Toutes trois s'embellissent, alors que l'extraordinaire ensemble conventuel des Jacobins voit le jour au XIIIᵉ siècle, ou bien s'achèvent quand les ermites de Saint-Augustin bâtissent leur couvent au XIVᵉ siècle.

Un XIVᵉ siècle qui verra s'abattre sur Toulouse une succession de catastrophes ; les effets de la guerre de 100 ans, avec leurs famines et épidémies, les incendies, les inondations et surtout la peste de 1358 affaibliront considérablement la capitale du Languedoc.

Brisée dans son élan, Toulouse doit alors attendre les années 1463 pour que s'ouvre devant elle un véritable siècle d'or grâce au pastel : cette jolie plante crucifère cultivée dans le Lauragais ayant la merveilleuse propriété de colorer les étoffes d'un beau bleu indélébile. Les coques , que formaient les petites fleurs jaunes, une fois broyées et mises en boules, donnèrent d'ailleurs à cette région le nom de « Pays de Cocagne » , synonyme de richesse et de bonheur.

Depuis Toulouse —via les ports de Bordeaux et de Marseille— s'établit alors un commerce international avec les pays voisins. Les grands négociants pasteliers bâtissent des fortunes et édifient des hôtels pour manifester leur réussite financière. Certains —tels Assézat ou Bernuy— se dressent encore de nos jours comme les superbes témoins de l'art de la Renaissance. Des architectes comme Jean Rancy et Nicolas Bachelier ou le maître-maçon Louis Privat signeront certains de ces bâtiments.

La concurrence de l'indigo et la mauvaise gestion des pasteliers marquent dès 1560, la fin de ce siècle d'or, alors que déjà Toulouse —qui se souvient encore de l'Inquisition et des Cathares— s'enfonce dans les conflits religieux engendrés par la Réforme.

Par réaction contre les abus du clergé catholique et la révélation de certains scandales, de nombreuses classes sociales se laissent séduire par les théories de Calvin et de Luther. Les XVIe, XVIIe et XVIIIe siècles seront marqués par cette véritable guerre civile : l'affaire Calas aura même un retentissement national.

Au même moment on assiste à un essor prodigieux des arts et des sciences et à une volonté d'urbanisme destinée à faire de Toulouse une métropole accueillante, et propice à l'implantation de commerçants et d'artisans.

Pierre-Paul Riquet achève le percement du Canal du Midi, son projet est ensuite complété par le Cardinal de Brienne, quant à Louis de Mondran et Jean-Pascal Virebent ils participent aux grands aménagements qui donnent au cœur de Toulouse une nouvelle physionomie. Avenues, places et fontaines sont créées, bien souvent au détriment de bâtiments anciens qui disparaissent entièrement ou en partie, afin de permettre une meilleure circulation.

Au XVIIIe siècle, le Grand Rond et les jardins viennent aérer un quartier historique où se dressent encore des remparts datant des Romains. Le Capitole s'enorgueillit d'une belle façade due à Jean-Louis Cammas et le premier maire de Toulouse, Joseph de Rigaud, est élu en 1790.

La place du Capitole et la place Wilson sont achevées au XIXe siècle, alors qu'une ligne de chemin de fer vers Bordeaux va bientôt être entreprise. Les premiers tramways sillonnent les nouvelles artères des rues Alsace-Lorraine, de Metz, du Languedoc et Ozenne.

Le XVIIIe siècle : une volonté d'urbanisme

Avant le XXe siècle, Toulouse prend conscience de la nécessité de préserver son passé et souscrit à des campagnes de restauration de son patrimoine —musée des Augustins, basilique Saint-Sernin. Des architectes, comme Auguste Virebent et Urbain Vitry, ornent les façades de pilastres, de cariatides et autres éléments décoratifs qui, provenant de la terre cuite, s'harmonisent avec les tons chauds de la brique nue.

Au début du XXe siècle alors que la guerre affaiblit la France entière, Toulouse profite d'une curieuse relance économique grâce à des industries liées aux activités de guerre (la Poudrerie, la Cartoucherie, l'Arsenal) et aux pionniers de la construction aéronautique tels Latécoère et Dewoitine.

Avec une démographie en hausse, alimentée par une forte immigration d'espagnols et d'italiens après la première et la deuxième guerre mondiale et plus tard de « Pieds Noirs » après la guerre d'Algérie, des secteurs comme le textile, l'électronique et l'informatique se développent, justifiant l'aménagement de pépinières d'entreprises qui facilitent l'implantation de sociétés françaises ou étrangères.

Toulouse devient aussi une ville universitaire très renommée. Dès les années 60, dans le complexe scientifique de Rangueil, la Faculté des Sciences côtoie les Grandes Écoles et les centres de recherche du CNES ou du CERT, car ici la matière grise a souvent la tête dans les étoiles.

Avec ses quelque 100 000 étudiants, Toulouse demeure la deuxième ville universitaire de France, accueillant également —outre une Faculté de Médecine— L'Université du Mirail pour les Lettres et les Sciences Humaines, et l'Université des Sciences Sociales avec le Droit.

Le XIXe siècle : un patrimoine enfin reconnu

Le XXe siècle : un essor tardif

Un avenir bâti dans le ciel

Dans la mémoire de Toulouse est gravé le souvenir d'un passé où elle était capitale, où son rayonnement économique et culturel avait du prestige ; aussi après avoir courageusement affronté les revers de l'Histoire, Toulouse a su reprendre sa place. Les avionneurs et les pionniers de l'espace (tels Mermoz ou Saint-Exupéry) ont laissé ici un goût tenace pour les défis et les conquêtes : Toulouse a donc misé sur un avenir bâti dans le ciel avec l'Aérospatiale, Airbus et AIR.

Culture et innovation

Ce dynamisme qu'elle a mis au service de son développement économique, elle se doit de le mettre au service de son rayonnement culturel.

Endormie sous les lauriers hérités d'une tradition qui n'en finit pas d'investir son paysage culturel, elle a trop longtemps conjugué l'art au passé et apprend maintenant à le conjuguer au présent en se tournant vers des initiatives culturelles qui collent bien à son image de ville jeune. Ainsi en 1993, l'inauguration de la ligne A du métro est-elle venue couronner 10 années d'efforts et de prouesses techniques. Mais c'est surtout la volonté innovante de Toulouse qui a trouvé-là une réponse originale dans l'opération « l'Art Contemporain dans le Métro ».

L'art d'aujourd'hui, celui de demain côtoient désormais les superbes monuments venus du passé.

La musique

Sa réputation de terre de musique chantée, hier, par les voix du Bel Canto, atteint aujourd'hui un rayonnement mondial grâce à des artistes comme Michel Plasson qui, du bout de sa baguette, a mené son orchestre symphonique au faîte du succès, ou comme Claude Nougaro, « gé-ni-a-le-po-è-te » qui lui a composé le plus bel hymne d'amour.

Art de vivre ...

Après avoir parcouru le monde, ils reviennent tous au pays, les enfants de Toulouse, car ici l'art de vivre est dans la nature des habitants. On aime chanter, profiter de la douceur des rayons du soleil, faire une partie de pétanque et parler du dernier bon repas, car on est toujours amateur et parfois même gastronome —de grands chefs ont d'ailleurs installé leurs fourneaux sur ce terroir où les bons produits ont gardé toute leur authenticité.

... et tempérament toulousains

Car si on aime aussi se passionner pour le ballon ovale avec les exploits du Stade Toulousain —première équipe championne d'Europe—, ou bavarder tranquillement en regardant couler la Garonne, c'est parce que toute la ville est à l'image de ce fleuve, tour à tour nonchalant ou tumultueux, qui lui a donné naissance.

Ici on a le sang chaud, et le rouge des briques se reflète vite sur les visages. Car Toulouse, ville du sud est aussi ville de couleur.

Héritage et avenir

Avec des étoiles plein les yeux, des chansons plein la tête, des couleurs plein ses murs, Toulouse est confiante en son destin, elle aime relever les défis, les grandes aventures sont faites pour elle, les horizons sans fin — ceux de l'espace et de la connaissance— ne lui font pas peur.

Si elle a reçu le charme et la beauté en dot, elle sait qu'elle doit construire un avenir à la hauteur de cet héritage.

TOULOUSE
a different perspective

A city nurtured by a river

Toulouse is a city nurtured by the river Garonne: the river finds its source in the high Spanish mountains, and Toulouse draws many influences from it which characterise it as a southern French town. Over the centuries, its geographical position (more or less equidistant between the Mediterranean and the Atlantic), and its proximity to Spain have attracted people from many different regions and countries. As a result, Toulouse has always been viewed as a cultural melting-pot, and as both a crossroad and a causeway for communications. Communication has indeed always been a pivotal and important facet of Toulousain life: its many historical monuments, documents and relics have much to tell. This is not to say, however, that Toulouse is an open book: the city still holds many hidden marvels and treasures whose stories are waiting to be told.

The liveliness and warmth of Toulouse were well represented in the flamboyant red brickwork characteristic of its town buildings long before the advent of Christianity, and the subsequent edification of its churches and other structures.

Brickwork

This brickwork is never more magnificent than at sunset, when every brick is infused with a seemingly infinite range of radiant hues. In Autumn, this impressive spectrum even encompasses the legendary "rayon vert". Many people have to travel to the very ends of the earth to see this light; yet the lucky inhabitants of the Ville Rose have only to stroll along the embankment of the Garonne at blazing sunset to witness the Daurade glistening and glowing in its own special contribution to this festival of light.

A rebellious and passionate city

Fire-bright and red are tones frequently associated with Toulouse —often rebellious and always passionate in its past achievements and conquests— although sometimes paying a high price for the fervour and courage of its convictions. Toulouse has suffered over the centuries in ways that are scarcely imaginable to us as we see the city now, replete with its precious monuments beautifully restored.

Many important buildings which could have figured proudly in its impressive skyline were senselessly destroyed or defaced — including la Daurade, whose original gleaming gold mosaic work was hacked away in the 18th century by mattock-armed vandals.

Time and misfortune

Time and misfortune have, equally, robbed us of the chance to appreciate the exceptional cloisters that we know were once possessed by Saint-Sernin, la Daurade and Saint-Etienne, these last having been destroyed by the wave of anti-religious obscurantism which followed the Revolution.

Post- revolutionary madness can apparently also be held responsible for the collapse of the bell tower of la Dalbade in 1926. During the Revolution, the spire of this church had been cut short in the name of "equality"; its 83 metre tower was disproportionately taller than that of Saint-Sernin, at only 67 metres. Actually, the steeple had held fast from the 16th century: its eventual collapse was due in fact to its having been renovated using materials too heavy for the structure to bear. The obscurantism of this era was also responsible for the rather inappropriate conversion of the convent of the Jacobins into an artillery store!

The follies of mankind

Given the ravages of time and the follies of mankind, we are fortunate to be able to enjoy the few now cherished treasures with which Toulouse is still endowed.

Fire has also wrought havoc in Toulouse: its devastating force whipped up by the howling Vent d'Autan (from the East) took full advantage of houses weakly and flammably constructed in mote—clay and straw— and in corondage —timber framed— leading to the destruction of entire areas of the city. Flood, too, intervened on occasion, seasonally invading the low quarters close to the river, taking with it bridges and housing.

Fortunately, Toulouse has always bravely fought against these setbacks, seemingly thriving on the opportunities that follow adversity, rather than being defeated by them.

Centuries
of occupation:
Celts,
Romans...

...and Visigoths

The Comtes
de Toulouse

Catharism
and the Inquisition

The resurrection of
artistic creativity

In the
14th century:
a series
of catastrophes

Toulouse was occupied fleetingly (for 200 years) by the Celts —the Volques Tectosages. The Roman occupation lasted twice as long (400 years), and bequeathed a rich heritage of architectural and artistic treasures, as well as a highly developed socio-economic and administrative infrastructure.

Toulouse was later occupied by the Visigoths and, from 415 became the capital of their empire, which streched from the Loire to Gibraltar.

Subsequently dominated by the Franks, led by Clovis, Toulouse was no longer of interest for the ruling families. The Comtes de Toulouse (11th-12th century) saw the town prosper and grow, as its successful reputation attracted a host of craftsmen, shopkeepers and professional classes — from among which assemblage of eminent people would emerge the influential Capitouls, who were to play an important role in the city's administration.

The religious row between the Languedoc, the King of France and the Pope was to embroil Toulouse in many conflicts and intrigues; Catharism also left its legacy in the form of crusades, massacres and a divided population. The installation of the preaching order of Saint-Dominique (Dominicans) marked the arrival of the Inquisition in the Languedoc.

In parallel with these events, Toulouse was simultaneously confirming its place in Christian history. Then contemporary builders erected monuments whose architectural features still stand as testaments to the resurrection of artistic creativity during this time: the Romanesque basilica of Saint-Sernin was nearly completed; the church of la Daurade was clad with glittering gold mosaic work; and the cathedral of Saint-Étienne lurched between Romanesque and Gothic construction. And while all three of these structures were receiving their finishing touches during the 13th century, the extraordinary conventual estate of the Jacobins was just emerging, and the Augustinian monastery was only finished a century later.

The 14th century saw Toulouse racked by a series of catastrophes: notably the disastrous epidemics and famine that resulted from the Hundred Years War. Fire, floods, and the Black Death in 1358 were all to have a considerable and debilitating effect on the capital city of the Languedoc. As if stopped in mid-flight, Toulouse had to wait until 1463 before a century of renewed and considerable prosperity arrived with the woad trade: cultivated in the Lauragais area in the West of France, this

pretty plant with its cruciform leaves could be made into a deep, velvety blue, indelibile dye. Once dried and pressed, its small yellow flowers form "coques" or balls: it is from these small shapes that the region derives the name "Pays de Cocagne", synonymous with wealth and happiness.

International trade routes via the ports of Marseille and Bordeaux permitted Toulouse to trade its blueprint treasure easily and well with neighbouring countries. Woad merchants prospered, and the city burgeoned with hôtels built to show off their financial success. Some —like Assézat or Bernuy— survive to this day, as superb a tribute to Renaissance glory as when they were first constructed. Many were designed by gifted architects such as Jean Rancy and Nicolas Bachelier, or else built by master masons, like Louis Privat.

However, the arrival of indigo —a cheap alternative to woad— coupled with mismanagement by the woad merchants meant that the golden century in Toulouse's history abruptly ended in 1560. At almost the same time, the city —scarcely recovered from the Cathars and the Inquisition— was already embroiled in the religious conflicts brought about by the Reform. This great change occurred as a direct result of a swing in popular opinion against the Church after the revelation of a series of scandalous abuses of power by the Catholic clergy, and the subsequent adoption of Calvinist and Lutheran dogma.

The 16th, 17th, 18th centuries were most marked by the civil war sparked off by this change in popular attitude towards the Catholic Church: the Calas incident had far-reaching national repercussions.

At the same time as the historical lows brought about by these awkward conflicts, Toulouse was experiencing great heights of achievement in the arts and sciences.

Notable changes in the theory and practice of town planning also occurred at this time, with a distinct move towards the idea that Toulouse should be capable of attracting shopkeepers and tradesmen to the town. Also, Pierre-Paul Riquet was to complete the excavation for the Canal du Midi. His initial plan was later completed by Cardinal de Brienne.

Urban architects Louis de Mondran and Jacques-Pascal Virebent were driving forces behind the city's great renovations during this era: avenues, squares and fountains were created, adding new dimensions to the physionomy of the town. Often, these changes led to an amelioration of the traffic of people through it. Sometimes, this

The golden
century
of woad

Calvinist and
Lutheran dogma

Town planning
innovations
of the
18th century

meant that older buildings were disregarded or demolished in order to effect these changes.

During the 18th century, the Grand Rond and other gardens were created, giving a new look to this part of Toulouse, where Roman remparts still stand to this day. The Capitole was adorned with a beautiful new façade designed by Jean-Louis Cammas; and the first mayor of Toulouse, Jean de Rigaud was elected in 1790.

Both Place du Capitole and Place Wilson were completed during the 19th century, just before work commenced on a rail link with Bordeaux. Trams were also installed, with tracks along the new roads of Alsace Lorraine, Metz, Languedoc and Ozenne.

The conciousness of a rich heritage

Just prior to the 20th century, Toulouse became conscious of a need to preserve its rich heritage and undertook various restoration works on, for instance, the Musée des Augustins and Saint-Sernin. Architects such as Auguste Virebent and Urbain Vitry decorated many of the city's façades with pilasters, caryatids and other decorative terracotta elements, which blend well with the warm tones of exposed brickwork throughout the city.

A technological development

While the rest of France was paralysed by the effects of First World War, Toulouse was enjoying an upturn in its economy as a result of its concentration of industries linked to the war effort (la Poudrerie, la Cartoucherie, l'Arsenal), as well as to locally-based pioneers of aeronautical construction such as Latécoère and Dewoitine.

There was a huge increase in population, sustained by high levels of immigration of refugees from both First and Second World Wars from Spain and Italy, and later the "Pieds Noirs" after the war in Algeria. As a result, sectors of the economy such as textiles, electronics and computers developed rapidly, encouraging many other companies —both French and foreign— to set up in Toulouse.

Toulouse had also become (and is still) known as a University town of good reputation. From the 60s onwards, in the Science complex at Rangueil, the University works alongside with the Grandes Écoles (centres of academic excellence, officially ranked in the French education system) and the scientific and space research centres of the CNES and the CERT.

Space research centres

With some 100,000 students, Toulouse is the second largest university town in France, housing a Medical Faculty, the University of Mirail for Arts and Social Sciences and the University of Social Sciences and Law.

Cultural development

Toulouse's glorious past, with its exceptional periods of economic expansion, and prestigious cultural development, is firmly embedded in local memory: the courage with which

Pioneers of space and aviation

it has always fought its way back to prosperity, after various difficult periods in its history is something in which the city takes pride. Its pioneers in the fields of space and aviation — such as Mermoz and Saint-Exupéry have also reinforced the local tradition of courage and aplomb in the face of challenge. This attitude was important when Toulouse decided to support and develop the aviation industry with Aérospatiale, Airbus and AIR.

A young and vibrant city

It is to be hoped that the dynamism of Toulouse's economic development will be applied to its cultural development. Too long resting on its laurels, the city was near cultural stagnation. Happily, art is no longer seen in the past tense, and new cultural initiatives are in harmony with its more recent image as a young, vibrant city. The inauguration of line A of the Métro in 1993 is a good illustration of this sense of progress, marking not only the end of ten years' work and technical prowess, but also —importantly— the culmination of the innovative project "Contemporary Art in the Métro." A successful mixture of present day and futuristic art coexists with the superb monuments of yesteryear throughout Toulouse. The city's long reputation in the field of music as sung by the voices of the Bel Canto, is constantly attaining heights of excellence thanks to the work of artists such as the highly-

Music

reknowned orchestra conductor, Michel Plasson, or Claude Nougaro, who composed a beautiful anthem for Toulouse (Ô Toulouse). Toulousains travel far and wide, but nearly always come home to the city whose lifestyle they hold dear. In Toulouse we love to sing; to take advantage of the warmth of the sun's rays; to play a game of "pétanque"; or enthuse about the wonderful cuisine —all Toulousains being at least amateurs if not gastronomes— of some of the famous chefs, whose culinary skills take full advantage of the bounty of delicious local products.

Passion in action and quiet reflection

Be it the heights of art, or the fast moving passion and action of the Stade Toulousain (the first European Rugby Champions) or a moment of quiet reflection next to the Garonne —Toulouse and its inhabitants are constantly linked to the image of the river, in all its seasons and moods, from which the city draws its life.

A glorious future

Toulouse is a city with stars in its eyes, a song in its heart, and a justly deserved confidence in challenges yet to come. Capable of succeeding at the greatest of ventures, the city thrives on the thrill of exploration into such areas as space and knowledge. No matter what the challenges, Toulouse has many qualities besides its charm and beauty, and this will assure it a future as glorious and fascinating as its heritage.

LE CAPITOLE

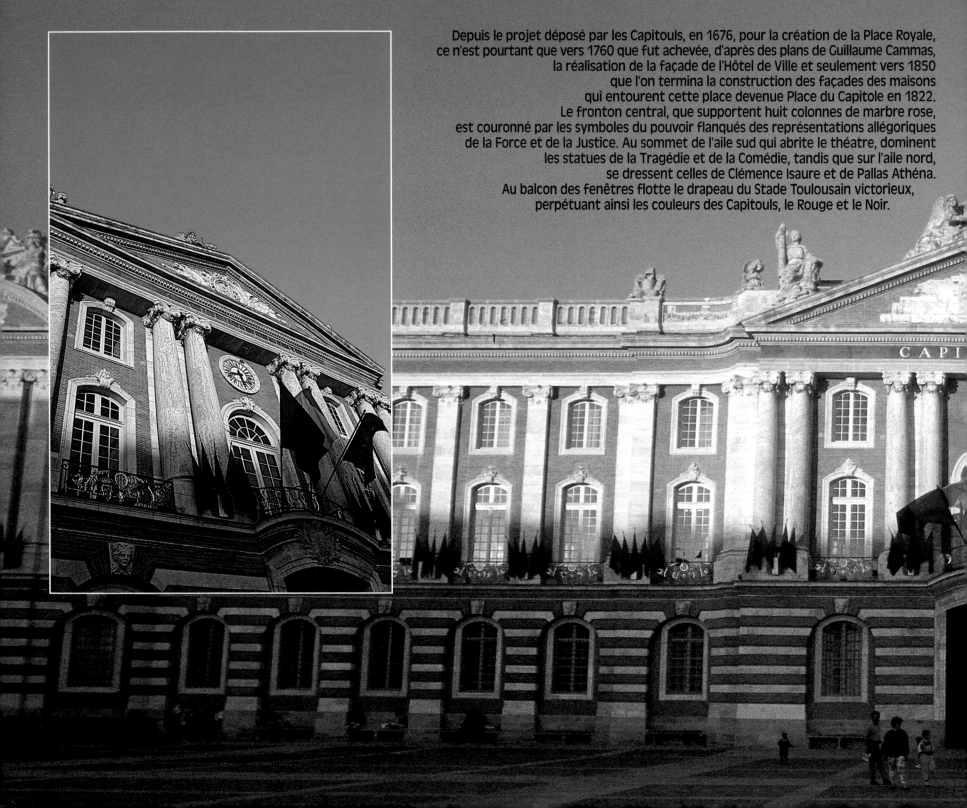

Depuis le projet déposé par les Capitouls, en 1676, pour la création de la Place Royale,
ce n'est pourtant que vers 1760 que fut achevée, d'après des plans de Guillaume Cammas,
la réalisation de la façade de l'Hôtel de Ville et seulement vers 1850
que l'on termina la construction des façades des maisons
qui entourent cette place devenue Place du Capitole en 1822.
Le fronton central, que supportent huit colonnes de marbre rose,
est couronné par les symboles du pouvoir flanqués des représentations allégoriques
de la Force et de la Justice. Au sommet de l'aile sud qui abrite le théatre, dominent
les statues de la Tragédie et de la Comédie, tandis que sur l'aile nord,
se dressent celles de Clémence Isaure et de Pallas Athéna.
Au balcon des fenêtres flotte le drapeau du Stade Toulousain victorieux,
perpétuant ainsi les couleurs des Capitouls, le Rouge et le Noir.

Even though the Capitouls had originally put forward plans to create a "Place Royale"
as early as 1676, it was not until nearly 1760 that the façade of the Town Hall
was built — as proposed by Guillaume Cammas. It was as late as 1850 that the façades
of the other buildings around the square were finished: the square itself had taken the name Place du Capitole in 1822.
The central fronton —supported by eight columns of rose-coloured marble—
is crowned by symbols of power, and is flanked by allegorical representations of Strength and Justice.
Two statues —Tragedy and Comedy— are found at the top of the southern wing,
which shelters the theatre.
The northern wing is ornamented by statues of Clémence Isaure and Pallas Athena.
On the balconies in front of the windows the flag of the Stade Toulousain flies victorious,
its black and red colours perpetuating the traditions of the Capitouls.

Dans tout l'éclat de ses façades rénovées, la place du Capitole, avec en son centre —réalisée par Raymond Moretti— la nouvelle croix du Languedoc portant les signes du zodiaque.

The Place du Capitole, dazzlingly brilliant in its renovated glory. Its centrepiece — crafted by Raymond Moretti— the new cross of the Languedoc, displaying the signs of the zodiac.

On doit à Jean-Paul Laurens la peinture monumentale qui orne le Grand Escalier du Capitole où sont représentés les Jeux Floraux de 1324 ; et à son fils Paul-Albert Laurens la peinture du plafond illustrant « le triomphe de Clémence Isaure ».

An enormous painting representative of the Floral Games of 1324 by Jean-Paul Laurens adorns the Great Staircase. His son, Paul-Albert, completed the decoration a few years later with his ceiling painting "The Triumph of Clémence Isaure".

La galerie sud est entièrement consacrée ▶ à un ensemble de peintures immenses d'Henri Martin, datant du début du XXᵉ siècle et représentant « Les Saisons » et « Les Bords de Garonne ».

The walls of the southern gallery are covered with a series of huge works by Henri Martin, representing "The Seasons" and "The Banks of the Garonne".

Seul le thème de l'Amour a été illustré par l'artiste sur les quatre panneaux qui décorent la salle Paul Gervais —celle-ci étant à l'origine destinée à la célébration des mariages avant d'être supplantée dans cette fonction par la Salle des Illustres.

Originally reserved for conducting wedding ceremonies, the Salle Paul Gervais *is decorated by a series of four paintings in which the artist celebrates the theme of Love. These days, the* Salle des Illustres *is home to this type of ceremony.*

Les bâtiments du Capitole s'articulent autour de la cour Henri IV qui fut achevée en 1607 et donna le ton à l'ensemble par son décor de brique et de pierre alternées.

A l'est, la magnifique porte Renaissance, réalisée par Nicolas Bachelier en 1546. Destinée à l'origine au Grand Consistoire, elle fut placée là lors de la « ronde des portes » et conduit au jardin qui fut aménagé dès 1880.

Elle est surmontée par une niche abritant la statue en marbre polychrome du roi Henri IV —la seule réalisée de son vivant— par Thomas Artamat.

Contrastant avec l'harmonie et la sérénité de cette cour, sous le regard bienveillant du « Vert Galant », une plaque tristement célèbre marque l'exécution du premier baron du royaume, le duc de Montmorency, qui osa d'insurger contre la politique fiscale de Richelieu.

A l'ouest, l'accès à la place du Capitole se fait sous la protection de Dame Tholoze, portant une brebis, et de Pallas Athéna, épée en main, accompagnée d'une chouette.

Les arcades de la galerie nord sont soutenues par huit piliers décorés des blasons des Capitouls et surmontées de dix fenêtres à meneaux sculptés.

The distinctive combination of alternate layers of brick and stone that characterises the exterior of the buildings of the Capitole appears to be drawn from the building style prevalent in the courtyard of Henri IV —completed in 1607— around which they are linked. A magnificent Renaissance door —created by Nicolas Bachelier— is situated to the east of the courtyard. Originally destined for the Great Consistory, it was placed in its current site during "the round of the gates." It leads to a garden which was planted from the 1880s onwards.

The door is surmounted by a niche housing a polychrome marble statue of King Henri IV. The statue was carved by Thomas Artamat, and has the rare distinction of being the only one actually completed during the King's lifetime. In stark contrast with the general serenity of the courtyard, and Good King Henry's smile, a plaque set into the cobbled floor bears sombre witness to the execution of the Duke of Montmorency —first Baron of the then kingdom— who dared to rebel against Richelieu's fiscal policy.

The arcades of the northern gallery of the structure are supported by eight pillars, each decorated with the coats of arms of the Capitouls, and surmounted by ten mullioned windows.

Access to the Place du Capitole is gained from the western side of the courtyard, under the watchful gaze of images of Dame Tholoze —bearing a ewe— and Pallas Athena —sword in hand— accompanied by an owl.

Mâchicoulis, échauguettes et fenêtres à meneaux témoignent de l'époque où fut contruit le Donjon du Capitole —1530— afin d'abriter les archives de la ville.
Cette belle tour carrée a été restaurée au XIXe siècle par Viollet-le-Duc qui l'a coiffée d'un clocheton de style beffroi flamand assez surprenant dans l'ensemble des toitures toulousaines et pourtant bien intégré.
Aujourd'hui le Donjon accueille la Maison du Tourisme.

Machicolations, bartizans and mullioned windows are striking reminders of the era during which the Donjon du Capitole (1530) was constructed to house and safeguard the archives of the city. This beautiful square crenellated tower was restored in the 19th century by Viollet-le-Duc. It was he who added its rather surprising Flemish belfry, which manages to blend in with the roofs around it, while keeping its own unmistakable character.
The Donjon now houses the Maison du Tourisme.

◄

Face à l'Hôtel de Ville, passage obligatoire sous la
galerie des arcades d'où
l'on peut admirer la flèche
du clocher octogonal de
Saint-Sernin et le clocher-
mur de l'église du Taur.

The walkway under the
Gallery of Arcades, opposite
the Town Hall. From it, one
can enjoy a special view of
both the octagonal bell
tower of Saint-Sernin, and
the clocher-mur of l'Eglise
du Taur.

◄

Tandis que dans un incessant va-et-vient, sous
le regard de bronze de Jean Jaurès, se pres-
sent les foules de la station de métro Capitole.

Underneath the bronze gaze of Jean Jaurès,
hurried crowds stream incessantly from the
métro station Capitole.

LA BASILIQUE SAINT-SERNIN

Monument majeur de la foi chrétienne et de l'art roman, la basilique Saint-Sernin —la plus grande de toute l'Europe— fut bâtie pour accueillir les très nombreux pèlerins qui, sur la route de Saint-Jacques de Compostelle, faisaient halte à Toulouse pour se recueillir devant les reliques de saint Saturnin.

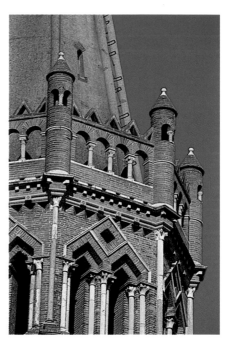

Sa construction, étalée sur le XIe et le XIIe siècle, permit la cohabitation du roman et du gothique qui trouve une superbe illustration dans le clocher octogonal avec ses deux derniers niveaux percés d'arcs-en-mitre —typiques du gothique toulousain— surmontant trois niveaux d'ouvertures romanes, et avec la galerie ajourée qui couronne l'ensemble avec ses huit tourelles.

L'imposante double porte occidentale est surmontée d'une rangée d'ouvertures en plein cintre, obturées depuis le XVIIe siècle par l'installation de l'orgue.

An important monument in both the history of Christendom and Romanesque art, the basilica of Saint-Sernin is the most imposing in Europe. It was built to welcome the many pilgrims who, on the trail of St James, stopped in Toulouse to pay hommage to the relics of Saint Saturnin.

Its construction stretched from the 11th to the 12th century, and as such, is viewed as a very successful cohabitation of Romanesque and Gothic styles, its octagonal bell tower is a perfect example of the harmony achieved by using these two styles, with its two highest levels pierced in the form of mitred arches (typical of Toulousain Gothic style) and situated above three levels of Romanesque openings. A gallery crowned with eight turrets sits atop this beautiful structure.

The imposing double door at the western side of the church is surmounted by a line of semicircular openings. These have been blocked off since the organ was installed in the 17th century.

L'immense vaisseau de la nef centrale doit son élégance au rapport entre sa hauteur (21,10 m) et sa largeur (8,60 m) qui, développée par les collatéraux, atteint 32,50 m. Sur 115 m de long, se déploient chapelles et collatéraux dans l'harmonie des tons de la brique, nue ou enduite, et de la pierre blanche.

Le soleil couchant s'engouffre par la rosace surmontant l'orgue placée au-dessus de la double porte occidentale, dans un jeu d'ombre et de lumière où chaque détail prend une dimension mystique.

22

The huge interior of the cental nave draws much of its elegance from the ratio of its height (21.1m) to its width (8.6m); once all the aisles are taken into consideration, this width reaches 32.5m.
A series of chapels and aisles is spread out over 115 metres in a harmonious mix of bricks —bare and plastered— and white stone work.

The rose window above the organ located over the double door at the western side of the building captures and enhances all  the magic of the colours and atmosphere created by the setting sun, casting light and shadow throughout the church, giving its every detail an additional, mystical quality.

Abondance des chapiteaux sculptés à des époques et dans des styles divers allant du XIᵉ au XIXᵉ siècle

*A remarkable abundance of capitals
from various eras and in a variety of styles
dating from the 11th
to the 19th century*

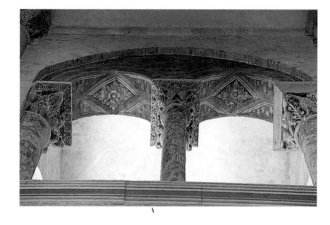

Dans la partie supérieure de la crypte correspondant à la base du baldaquin gothique construit au XIIIᵉ siècle pour élever le tombeau de saint Saturnin, six ogives se rejoignent autour d'une clef de voûte ornée d'un médaillon polychrome représentant le couronnement de la Vierge par Jésus.

*In the upper part of the
crypt, a polychrome
medallion —situated at
the keystone, and
featuring the crowning
of the Virgin by Jesus—
marks the central point
of six Gothic arches,
which correspond
to the base of
the Gothic baldaquin,
built in the 13th century
to elevate
the tomb of
Saint-Saturnin.*

Feuilles d'acanthe, animaux fantastiques et personnages inquiétants dialoguent dans un incessant discours

*Acanthus leaves, mythical creatures and bizarre personnages taking part
in the never-ending discourse of centuries past and future*

25

Dans le déambulatoire et les chapelles rayonnantes se succèdent les armoires abritant les reliques des saints dont la vie est illustrée sur des boiseries du XVIᵉ et du XVIIᵉ siècle.

Sur la partie centrale du mur du déambulatoire ont été encastrés au XIXᵉ siècle des bas-reliefs de marbre.

Six chapelles, où sont conservées les châsses des saints, constituent la crypte inférieure creusée au XIIIᵉ siècle. Au pied de l'escalier, six statues d'apôtres en bois polychrome, datant du XIVᵉ siècle, accueillent le visiteur.

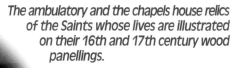

The ambulatory and the chapels house relics of the Saints whose lives are illustrated on their 16th and 17th century wood panellings.

Marble low reliefs from the 19th century are set into the ambulatory walls.

The reliquaries of the Saints are kept in six chapels which make up the lower crypt —excavated in the 13th century. On descending to the crypt via the staircase, the visitor is met by six statues of the apostles, carved in polychrome wood, dating from the 14th century.

Dans la chapelle de Saint-Martial, la châsse contient les reliques de l'enfant Saint-Cyr tué en 304 sous les yeux de sa mère Sainte-Juliette.

In the Chapel of St Martial, a reliquary contains relics of the infant St Cyr, who died in 304AD before the eyes of his mother St Juliette.

Incrustés dans le mur, les pieds sculptés de Saint-Christophe usés par les baisers des pèlerins.

A pair of sculpted feet of St Christopher are inlaid into the wall of the ambulatory. These are very worn, having received kisses from many thousands of pilgrims over the centuries.

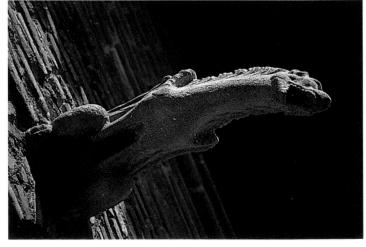

Une vieille tradition toulousaine,
l'*inquet* ou « les puces »
du dimanche matin, avec leur déballage
des trésors du temps passé.

*An old Toulousain tradition —the Sunday morning "inquet"
or flea-market— unveils a treasure
of* bric à brac *from yesteryear.*

À l'emplacement du Collège Saint-Raymond, devenu musée
au xixe siècle, existait depuis 1080 un hôpital. Destiné d'abord
aux pèlerins, il accueillit ensuite les étudiants pauvres quand
l'Université de Toulouse fut fondée en 1229. Le bâtiment
actuel fut élévé en 1523, sa belle façade de briques présente échauguettes décoratives, faux-mâchicoulis, fenêtres
à meneaux et gargouilles.

*A hospital was built in 1080 on the site of what is now the
College of Saint-Raymond. It was intended initially to care for
pilgrims, but was later used by impoverished students who arrived
in Toulouse when the University was created in 1229. The current building was constructed in 1523, and has a beautiful brick
façade on which are featured bartizans, machicolations,
mullioned windows and gargoyles. It became a museum in the
19th century.*

29

Fleur de corail illuminant la nuit, la basilique Saint-Sernin.

La petite chapelle bâtie en l'an 402 s'est modifiée avec les siècles autour d'une nécessité mystique pour aboutir de nos jours à ce chef-d'œuvre de la période romane qui témoigne du formidable élan créateur de l'art sacré parvenu au sommet de sa plénitude.

Ainsi, de la parfaite harmonie de ces masses, se détache la demi-coupole de l'abside centrale qui surmonte l'arrondi du déambulatoire autour duquel se déploient les cinq chapelles absidiales que prolongent, de chaque côté, les chapelles du transept. Ici s'élance le clocher octogonal avec ses cinq étages à ouvertures romanes puis gothiques et sa flèche pyramidale culminant à 67 mètres.

The basilica of Saint-Sernin: like a coral flower, lighting up the night sky.

The small chapel has undergone many changes over the centuries since its construction in 402AD. It is now the best example of the mastery of Romanesque religious art and architecture at the height of its splendour.

From the perfect harmony of its bold lines rises the semi cupola of the central apse. This surmounts the rounded shape of the ambulatory around which five chapels of the apse extend, then continue on each side by the chapels of the transept. Here, the bell tower stands with its five level of alternate Romanesque and Gothic openings, its pyramid-shaped spire taking the overall height of the structure to an impressive 67 metres.

L'ÉGLISE DES JACOBINS

L'église des Jacobins fut d'abord conçue vers 1230-1235 comme un espace modeste destiné à accueillir les moines de l'ordre de Saint-Dominique afin qu'ils puissent combattre l'hérésie cathare en terre toulousaine. Ce premier édifice, subissant les changements de la société du Moyen Âge ainsi que ceux des mentalités religieuses, évolue ensuite vers un espace plus grand permettant à l'église conventuelle de côtoyer l'église publique.

À la fin du XIIIᵉ siècle, un clocher octogonal viendra dominer la masse monumentale de ce bâtiment puissant dont les murs, soutenus par de solides contreforts, atteignent une hauteur de 28 mètres.

Les bâtiments monastiques sont complétés au cours du siècle suivant par l'édification du cloître, de la salle capitulaire, du réfectoire et de la chapelle funéraire Saint-Antonin.

Mais après la Révolution, la suppression des communautés religieuses va venir menacer cet admirable ensemble conventuel par un changement d'affectation qui va le transformer en quartier d'artillerie...

Mérimée, Montalembert, Viollet-le-Duc s'élèvent contre ce vandalisme, leurs protestations aboutiront à une longue campagne de restauration. Les bâtiments retrouvent leur majestueuse intégrité et l'église sa dimension religieuse avec le retour des reliques de Saint-Thomas d'Aquin.

The church of the Jacobins was originally constructed between 1230 and 1235, intended for Dominican monks to worship in, and to establish the struggle against Catharism in Toulouse. As a result of the mores of the Middle Ages and changes in religious attitudes at that time, the initial building underwent many changes, and was converted into a much larger double-naved structure, in which the nave of the church of the convent ran alongside the public church. The main body of this imposing building is dominated by a 28 metre tall octagonal bell tower, supported by thick buttresses.

During the course of the following century, the cloister, chapter house, refectory and funeral chapel of Saint-Antonin were also completed.

Post-Revolutionary suppression of religious communities, however, meant that this wonderful monument was also threatened and subsequently turned into an artillery store...

Fortunately, though, influential personages such as Mérimée, Montalembert and Viollet-le-Duc came to the rescue of les Jacobins, and resulting restoration programme led to the building being renovated to its complete and former glory.The church was restored to its status as a place of worship once the reliquary of St Thomas d'Aquinas was returned.

Une couronne de petites tourelles surmontant une élégante arcature à colonnettes et chapiteaux, placée au-dessus de quatre étages à fenêtres géminées coiffées d'arcs-en-mitre : le clocher des Jacobins, reconnaissable entre tous, il participe à la majesté du monument et à la paisible harmonie qui envahit l'ombre fraîche des galeries de ce cloître que les Jacobins avaient choisi de situer au nord de leur église, à l'ombre des murs immenses.

The bell tower of the Jacobins stands proud in the skyline of Toulouse. A crown of small turrets surmounts an elegant arcading of small columns and capitals, set above four floors of gemel windows capped with mitred arches. It casts an interesting and distinctive outline in the harmonious rise and fall of the cool shadows in the cloister that the Jacobins chose to construct at the north side of their church, protected by its immense walls.

34

▲

Les chapelles latérales, datant de 1391, entourent l'immense vaisseau et ses deux nefs, tandis que par les grandes baies ornées de vitraux une lumière multicolore vient éclairer les parois latérales et les voûtes peintes de motifs géométriques.

The Jacobins' huge interior and two central naves are surrounded by lateral chapels which date from 1391. Its large openings are decorated with stained glass panels, which diffuse multi-coloured light across the internal lateral walls and vaulted ceiling, adorned with painted, geometric motifs.

Les voûtes d'ogives soutenues par un imposant alignement de piliers mènent au célèbre « Palmier des Jacobins ». Cette voûte en étoile rayonnant autour d'un pilier central —unique dans sa conception et la perfection de sa réalisation— constitue un des chefs-d'œuvre de l'art gothique.

The ribbed vaults are supported by an impressive alignment of pillars which leads on to the famous structure known as the "Palmier des Jacobins". This particular vault features a star radiating from a central pillar. It is unique in both its concept and execution, and is regarded as a masterpiece of Gothic construction.

▶

L'ÉGLISE DE LA DAURADE

L'histoire dit qu'à cet emplacement, s'élevait un temple d'Apollon ou de Minerve qui devint ensuite le premier édifice chrétien offert au culte à Toulouse. Temple païen ou sanctuaire chrétien dès l'origine, l'église dorée, *la deaurata* tire son nom de la première décoration dont elle fut ornée au vi^e siècle : des petits morceaux de verre sur fond de feuille d'or donnaient alors un reflet doré à ce monument exceptionnel. Hélas ! en 1761 les mosaïques d'or éclatent sous la pioche des vandales, le cloître est détruit, mais l'église s'agrandit et sa nouvelle construction se terminera en 1883.

Dans l'une des petites chapelles qui entourent la nef unique, se trouve la statue de Notre-Dame la Noire placée au-dessus d'un panneau de céramique de Gaston Virebent. Cette vierge miraculeuse arrêta, dit-on, l'incendie qui ravageait le quartier Saint-Michel en 1672. Depuis, la Vierge Noire est l'objet de nombreuses manifestations religieuses.

Local legend has it that a temple to either Apollo or Minerva originally rose from the site, which later became the first large construction dedicated to Christianity in Toulouse. Whether or not it was a converted pagan temple, or a Christian sanctuary from the outset, the golden church or la deaurata takes its name from the first method of decoration used on it in the 6th century: small fragments of glass over a base of goldleaf, which combine to give this exceptional structure a sparkling golden quality.

Unfortunately, this mosaique was shattered by vandals' mattocks in 1761, and the cloister was destroyed. The church, grew, however, and its newly constructed portions were finished in 1883.
In one of the small chapels surrounding the single, central nave, we find the statue of Notre-Dame la Noire, just above a ceramic panel by Gaston Virebent. It is said that the virgin miraculously stopped the fire which ravaged the Saint-Michel area in 1672. Since that time, the Vierge Noire has figured in the celebration of many important religious events.

L'ÉGLISE DE LA DALBADE

Dédiée à la Vierge, l'église de la Dalbade tient son nom des badigeons de chaux qui, pour symboliser ce sanctuaire marial, recouvraient ses murs. Sainte-Marie de l'église blanche —*Sancta Maria de Ecclesia Alba*— devint *de albata* puis Dalbade.

Rebâtie et agrandie au XIIᵉ siècle, elle s'enorgueillissait à la fin du XVIᵉ siècle d'un clocher de 83 mètres de haut qui s'effondra en 1926.

Toute de brique, sa façade présente un balcon crénelé surmonté de trois élégantes tourelles. Sous une rose au remplage flamboyant est placée, depuis 1878, sur le tympan du portail, une céramique de Gaston Virebent représentant « le couronnement de la Vierge » d'après l'œuvre originale de Fra Angelico qui se trouve dans le monastère San Marco à Florence.

St Pierre des Chartreux — Hôpital Dieu St Jacques — St Sernin — La tour des Cordeliers — Les Jacobins — Église du Taur — La Daurade — Assézat

Nef unique pour
cette église typique
du gothique méridionnal

*Single nave typical of Gothic
churches in southern France*

Vitraux datant
du début du xxᵉ siècle

*Stained glass windows
circa early 20th century*

Dedicated to the Virgin Mary, the Église de la Dalbade *takes its
name from the white distemper —symbolising the sanctuary
of Mary— which was used to cover its walls.
Sainte-Marie de l'Église Blanche (St Mary of the White Church)
became de albata in Occitan, and then Dalbade.
It was rebuilt and enlarged in the 12th century, with an 83 metre
tall bell tower which was the pride of the church from the end
of the 16th century until its collapse in 1926.
In solid brick throughout, its façade features a crenellated
balcony, surmounted by three elegant turrets. In 1878, a
ceramic panel by Gaston Virebent —representing the crowning of
the Virgin Mary— was placed above the tympan of the main
door. A flamboyant rose window surmounts this colourful scene.
The ceramic panel is crafted in the style of the original work
by Fra Angelico, which is kept at the monastery of San Marco in
Florence.*

Les Augustins

Sᵗ Etienne

La Dalbade

LA CATHÉDRALE SAINT- ÉTIENNE

Première église du diocèse toulousain, la cathédrale Saint-Étienne se dresse comme l'émouvant témoin d'un passé tumultueux reflètant, par son architecture hybride, les mutations de la société du Moyen Âge.
Les caprices des hommes et ceux de l'histoire ayant maintes fois interrompu sa construction entreprise au XIᵉ siècle puis reprise au XIIIᵉ, c'est dans une surprenante juxtaposition de styles que nous est parvenu ce monument dans lequel s'est toutefois exprimée la volonté créatrice des bâtisseurs des siècles passés.

First church to be built in the diocese of Toulouse, the hybrid style of the Cathedral Saint-Etienne reflects the huge upheavals of many different epochs of the Middle Ages, over which long period it was constructed.
Its building was halted by both manmade and historical follies: started in the 11th century, further construction was delayed until the 13th century. This disjunctive construction gave rise to a haphazard — nonetheless excellently executed— regrouping of consecutive architectural and building styles in a single structure.

Double page suivante :

Le chœur, de style gothique, date de la fin du XIIIᵉ siècle, cependant son voûtement fut édifié au XVIIᵉ. On distingue, au niveau du pilier des grandes orgues —placées en 1612— la déconcertante ligne de partage entre roman et gothique. Au fond, les deux niches romanes et la rosace gothique éclairent la nef de style roman, et ses amples voûtes construites au début du XIIIᵉ siècle. À l'opposé, derrière l'autel, se dresse un rétable du XIXᵉ siècle.

Following spread:

The choir is in Gothic style dating from the end of the 13th century, the vaults of which were added during the 17th century. A disconcerting dateline of sorts between Romanesque and Gothic styles is seen from the start of the pillars of the large organs, fitted in 1612. At one end, two Romanesque niches and a Gothic rose window light up the nave —also Romanesque— its ample vaulted ceiling constructed at the beginning of the 13th century. At the other end, behind the altar, a 19th century retable is housed.

Voûtement gothique
pour la chapelle Notre-Dame-des-Anges
et les arcades du déambulatoire

Gothic vaultings feature in both the chapel Notre-Dame-des-Anges, and the arches of the ambulatory

Œuvre du maître sculpteur, Pierre Monge, les stalles de style Louis XIII, furent placées en 1611

Wood carvings of master sculptor, Pierre Monge, characterise the Louis XIII stalls, installed in 1611

45

LE PONT NEUF

Commencé en 1544
—c'est le plus vieux pont de Toulouse—
le Pont Neuf sera achevé en 1632.
Massif dans sa construction de brique et de pierre,
il résiste depuis aux flots de la Garonne,
mais avant lui, les crues du fleuve
emportaient régulièrement
tous les autres ponts.

Rivalisant de beauté avec les monuments qui l'entourent, il participe à l'harmonie du site et offre au promeneur ses reflets bicolores quand le fleuve se fait miroir.

Started in 1544
—and as such the oldest bridge in Toulouse—
the Pont Neuf was completed in 1632.
Solidly constructed in brick and stone, it has well withstood
the torrents of the mighty Garonne,
unlike its less sturdy predecessors
which were regurlarly embarked
by rising flood waters.

Noteworthy for its outstanding architectural and æsthetic beauty, it is an important feature in the harmony of its surroundings, dazzling riverside strollers with its bi-coloured sparkling surface shining against the light cast up by the waters of the river.

LE MUSÉE DES AUGUSTINS

Il fallut beaucoup de ténacité aux frères ermites de Saint-Augustin pour s'implanter à Toulouse et encore plus pour mener à bien la construction de leur couvent.

Dès 1310, ils commencent leur église et achèvent le couvent vers la fin du xive siècle avec les chapelles du chevet, la chapelle Notre-Dame-de-Pitié ainsi que le grand réfectoire, le clocher et les arcs poly-lobés des arcades du cloître.

D'incendie (1463) en pillage, de reconstruction (1496) en consécration (1504), la configuration de l'ensemble conventuel des Augustins évolue au cours des siècles pour subir dès 1794 de nombreuses mutilations lors de l'installation du *Muséum Provisoire du Midi de la République* transformé en musée après la Révolution : le grand réfectoire est détruit ainsi que l'aile sud du couvent, la chapelle et la bibliothèque.

Au xixe siècle un nouveau musée est construit d'après un projet de Viollet-le-Duc. De 1950 à 1980 une série de campagnes de restauration aboutira à l'ensemble actuel qui a retrouvé un charme particulier. Dès l'entrée, le visiteur est saisi par la paix et l'harmonie qui se dégagent des galeries du cloître et du jardin potager.

It took much determination for the Augustinian monks, and much more besides, before their monastery was successfully completed. Work on the church commenced in 1310, with the remainder of the construction — including the chapels of the apse, the chapel of Notre-Dame-de-Pitié, the large refectory, the bell tower, and the multi-foiled arches of its cloister being completed towards the end of the 14th century.

From pillage to fire in 1463, from reconstruction (1496) to eventual consecration (1504), the shape of the whole conventual structure evolved greatly over the centuries, only to suffer great disfigurement when the building was converted into a museum after the Revolution. In particular, the large refectory was destroyed, as were the southern wing of the monastery, the chapel and the library.

During the 19th century a new museum was constructed, based on a project by Viollet-le-Duc. From 1950 to 1980, a series of restoration efforts gave rise to the current state of the stucture, which has its own particular charms. On entering, visitors are immediately struck by a sensation of all-pervasive peace and harmony which infuse the galleries of the cloister and the charming herb garden.

Nettement détaché de la nef de l'église, le clocher—amputé par la foudre en 1550—présente une tour polygonale sur mâchicoulis et des ouvertures surmontées d'arcs-en-mitre, il confère à l'ensemble une silhouette massive et protectrice que vient égayer un jardin potager bien ensoleillé.

Clearly detached from the nave of the church, the bell tower — struck by lightning in1550— displays a multi-sided tower constructed on machicolations, with openings surmounted by mitred arches. It casts a solid, almost protective shadow against the rest of the structure, sharply contrasting with the cheerfulness of the herb garden.

Intimisme d'un jeu d'ombres et de lumières sur les dentelles de pierre d'une fenêtre de la Salle Capitulaire et des arcades du cloître
Light and shadow enhance the intimate atmosphere of the arcades of the cloister and the lace pattern of a window of the Chapter House

Les Augustins avaient choisi de placer le cloître de leur couvent au sud de leur église, ils donnèrent ainsi aux galeries un éclairage optimal dont bénéficient les gargouilles du XIVᵉ siècle, provenant de la démolition de l'église des Cordeliers en 1874.

The Augustinians chose to situate the cloister at the southern end of their church. This positioning accounts for the wonderful light in which a series of 14th century gargoyles —salvaged from the demolished Église des Cordeliers in 1874— are seen to great effect.

Dans l'escalier conduisant au premier étage sont regroupées des œuvres représentatives de la sculpture académique du XIXe siècle.
Une lumière zénithale éclaire le Salon Rouge où sont présentées les peintures du XIXe siècle, tandis qu'une ambiance mordorée enveloppe les œuvres de l'Âge d'Or de la peinture toulousaine des XVIIe et XVIIIe siècles dans la Salle Brune.

A collection of sculptures representative of the 19th century is displayed in the staircase leading to the first floor.

In the Red Room is a selection of paintings from the 19th century, illuminated by a bright shaft of light which descends from an opening in the ceiling.

This contrasts strikingly with the more subdued bronze tones surrounding the 17th and 18th century Golden Age Toulousain paintings exhibited in the Brown Room.

Notre-Dame de Grasse. Sculpture polychrome, fin du XVIᵉ siècle. Œuvre anonyme provenant de l'église des Jacobins.

L'émotion qui se dégage de ce groupe provient à la fois de l'extrême jeunesse de cette Vierge au visage rêveur et enfantin, et de la curieuse attitude de la Mère et de l'Enfant ; chacun semblant s'adresser de son côté à des personnages invisibles. Dans un mouvement spontané de curiosité enfantine, l'Enfant Jésus paraît vouloir s'échapper des bras de sa mère.

Notre-Dame de Grasse. Polychrome sculpture circa late 16th century (Anon) from the Église des Jacobins.

The emotion which pervades this group can be attributed to various factors of its composition: the extreme youth of the Virgin, with her dreamy, childlike expression; and the curious position of Mother and Child —each seeming to speak to invisible personages at either side of the sculpture. The baby Jesus strikes a pose of spontaneous childlike curiosity, seeming to want to escape from his mother's arms.

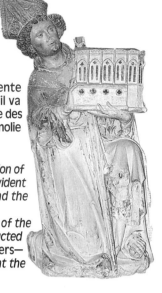

Jean Tissandier, Evêque de Rieux. Dans cette œuvre sculptée du XIVᵉ siècle, la virtuosité de l'exécution éclate dans le traitement des étoffes et des boucles de cheveux.

L'Evêque de Rieux, Jean Tissandier présente la maquette de la chapelle funéraire qu'il va faire construire contre le chevet de l'église des Cordeliers —cette chapelle sera, hélas, démolie au début du XIXᵉ siècle.

Jean Tissandier, Bishop of Rieux. The perfection of this 14th century sculpture is particularly evident in the movement of the statue's robe, and the finely crafted curls of its hair.

The Bishop of Rieux is presenting a model of the funeral chapel which would later be constructed against the apse of the Église des Cordeliers— and which was unfortunately demolished at the start of the 19th century.

Les douze apôtres ainsi que les trois statues de l'abside qui constituent « le cycle de Rieux » — maitre sculpteur du XIVᵉ siècle — habitent de leur présence silencieuse la chapelle Notre-Dame-de-Pitié.

The twelve apostles and the three statues of the apse constitute the reknowned "Cycle of Rieux" (master sculptor of the 14th century).These silent inhabitants maintain a solemn vigil in the chapel of Notre-Dame-de-Pitié.

▼

Sarcophage sculpté.
Œuvre funéraire du XVIᵉ siècle

Sculpted sarcophagus. 16th century funeral work

Sous la remarquable voûte sur liernes et tiercerons de la Salle Capitulaire du couvent sont exposées les collections de sculptures gothiques du XVᵉ siècle.

The Chapter House is home to a collection of 15th century Gothic sculpture, shown to great effect under its remarkable vaulted ceiling, with its magnificent pattern of liernes and tiercerons.

▶

LE MUSÉE PAUL DUPUY

Ici un nombre impressionnant d'objets, de costumes, de meubles et de livres témoigne des goûts éclectiques de Paul Dupuy —bibliophile-amateur d'art— qui accumula toutes ces pièces afin de constituer son musée privé.

Présentées au public depuis 1949, les collections, d'une grande diversité, couvrent une période allant du Moyen Âge au XIXᵉ siècle et proposent, entre autres originalités, des horloges, montres et automates à côté d'instruments de mesure du temps —non mécaniques— tels que astrolabes et cadrans solaires.

Superbe travail d'ébénisterie, datant du XVIIᵉ siècle, « l'Apothicairerie du Collège des Jésuites » et ses pots de pharmacie en faïence des XVIIᵉ et XVIIIᵉ siècles.

Here we find an impressive and eclectic range of objets d'art, furniture and books. Paul Dupuy was passionate about both books and fine arts, and amassed many pieces in order to create his own private museum.

His diverse collections have been on display since 1949, illustrating a period from the Middle Ages up until the 19th century. Noteworthy items include highly original clocks, watches and automatons, juxtaposed with a range of non-mechanical instruments for measuring time, such as astrolabes and sundials.

A superb example of 17th century cabinet-making, the "Apothicairerie du Collège des Jésuites" and its array of pharmaceutical 17th and 18th century earthenware jars.

LE MUSÉE SAINT-RAYMOND

Dans ce bâtiment Renaissance —devenu musée à la fin du XIXe siècle— sont abritées depuis 1949 toutes les antiquités de Toulouse pour une période allant, environ, de la préhistoire à l'an mille : âge de bronze, âge de fer sont représentés dans ce musée archéologique où sont aussi conservés les témoignages

des trésors des Volques Tectosages, des monnaies antiques et médiévales mais surtout des milliers de vestiges de l'occupation romaine avec une collection exceptionnelle de sculptures et une imposante galerie de portraits d'empereurs romains.

Since 1949, all artefacts from the Bronze and Iron Ages in Toulouse have been kept in this Renaissance building, which became a museum at the end of the 19th century.
This archeological museum is also home to the treasures of the Volques Tectosages; old money from over the centuries; and more particularly a selection of thousands of Roman relics, including a wide range of exceptional sculptures and an imposing gallery of portraits of Roman emperors.

LE MUSÉE GEORGES LABIT

Dans cette curieuse villa de style néo-mauresque sont exposés les objets et les documents que Georges Labit (1862-1899) rapporta de ses voyages.

Cet insatiable collectionneur, attiré par l'exotisme et l'aventure, découvrait alors une région du globe —l'Asie— qui s'ouvrait à peine au reste du monde et allait le séduire par la richesse de sa production artistique.

Estampes japonaises, armes, armures, peintures, porcelaines, ivoires, laques, masques... La diversité de sa collection reflète le tempérament curieux de cet amateur éclairé. Aujourd'hui, le musée Georges Labit est le seul musée de province à proposer des collections dont l'ampleur couvre, outre l'Égypte, l'Asie toute entière.

Armures de Samouraï — *Cotte de mailles, soie — Cuir et bois laqués*
Samurai armour —Coat of mail, silk. Laquered leather and wood ▶

Boudha Amida
Bois sculpté et doré
Japon- Époque Edo
*Sculpted wood covered
in gold leaf*

▶

Paravent —bois laqué,
papier et dorure à
la feuille d'or— illustrant
une légende traditionnelle
du Japon

*Screen in laquered wood,
paper and gold leaf gilding,
illustrating a traditional
Japanese legend*

*This interesting neo-Moorish villa
is home to a large collection of
many artefacts and documents
brought back to France by
Georges Labit (1862-1899) from
his many foreign travels. An
insatiable collector, he was
passionately interested in all
that was exotic and adventurous,
and was thus attracted to Asia.
When discovering these areas
which were, at that time, just
opening up to the rest of the
world, he was immediately seduced
by the many historic and artistic riches to be found there.
Japanese engravings, weapons,
armour, paintings, porcelain,
ivory, masks, laquer-work... The
diversity of the collection is an
accurate reflection of the out-
of-the-ordinary tastes of this
enlightened amateur.
Today, the Musée Georges Labit
is the only art museum in France
outside of Paris to house such a
large collection of art and artefacts from all the Asian countries,
and Egypt.*

Masques de théatre Nô —bois sculpté polychromé
Estampes japonaises —Hiroshige, Yoshitoshi
Grands vases en faïence de Satsuma

*Masks from the Nô school of theatre —polychrome sculpted wood
Japanese engravings —Hiroshige, Yoshitoshi
Large earthenware vases from Satsuma* ▼

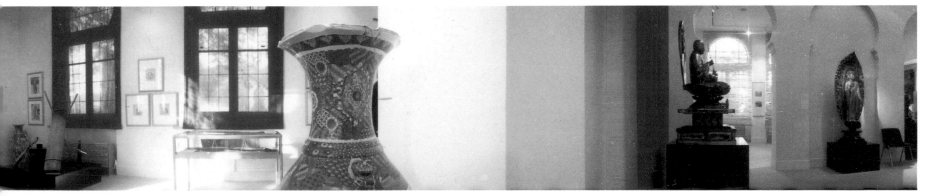

Construit au début du XIXe siècle pour distribuer les eaux de la Garonne aux toulousains, le Château d'Eau cessa son activité en tant que tel dès 1860. Il dût attendre plus d'un siècle pour devenir, grâce à l'initiative de Jean Dieuzaide —photographe toulousain reconnu dans le monde entier— musée et galerie d'exposition consacrés à la photographie. Lors de l'inauguration de 1974, furent présentées les œuvres de Robert Doisneau. Depuis, les plus grands noms de cet art du XXe siècle se sont succédés dans cette galerie originale qui se prolonge même dans la salle des machines. Sa renommée dépassant largement les frontières, aujourd'hui la galerie du Château d'Eau est, avec son centre de documentation, ses 200 mètres de cimaises et son décor de voûtes et de brique, l'un des espaces culturels les plus fréquentés de la Ville Rose.

CHÂTEAU D'EAU

Built at the beginning of the 19th century for the purpose of supplying water from the Garonne, the Château d'Eau ceased to function as such in 1860. It was more than a century later that this landmark became a museum and gallery dedicated to photography, inspired by Jean Dieuzaide —world reknowned Toulousain photographer.
Its inauguration in 1974 was marked by an exhibition of works by Robert Doisneau. Since then, exhibits of works from some of the greatest names of 20th century photography have passed through this highly original gallery, which takes up the whole interior of the structure, extending right down into the former pump machines room of the tower. The excellent reputation of both the gallery and archives of the Château d'Eau now extends well beyond France. Consequently, this impressive landmark —with its 200 metres of picture rails and fine interior of exposed brick and vaulted ceilings— is one of the most visited cultural sites of la Ville Rose.

L'HÔTEL D'ASSÉZAT

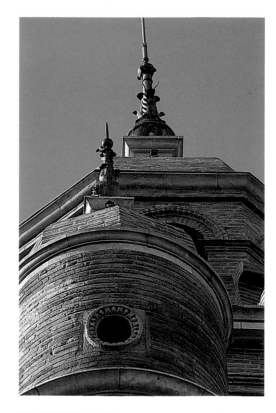

Véritable palais, l'Hôtel d'Assézat, rassemble pour l'harmonie de ses façades, la perfection classique de la composition et l'élégant mariage de la pierre et de la brique.

Cette réalisation —la plus prestigieuse de la Renaissance toulousaine— fut entreprise par Pierre d'Assézat vers 1555.

Ce très riche marchand qui devait sa fortune au commerce du pastel, reçut à deux reprises la charge de Capitoul avant d'être chassé par le Parlement puis ruiné par l'arrivée de l'indigo.

Son hôtel, acquis au XIXe siècle par la banque Ozenne, fut ensuite légué à la ville afin d'abriter les sociétés savantes de Toulouse ainsi que la très célèbre Académie des Jeux Floraux fondée en 1323.

Donnant sur une vaste cour, les deux corps de logis s'élèvent sur trois étages dont la hauteur va décroissant ; ils sont percés de fenêtres « à l'antique » encadrées de pilastres et de colonnettes doriques, ioniques et corinthiennes. Une remarquable utilisation de la brique, pour les murs, et de la pierre, pour les encadrements des portes et des fenêtres, confère une saisissante harmonie à l'ensemble.

The two main parts of the building are each three storeys high, each floor becoming narrower as the height of the building increases. These give on to a large courtyard.

Each floor is punctuated by windows à l'antique framed by a series of pilasters and small pillars in Doric, Ionic and Corinthian styles. The brickwork featured on the walls as well as the stonework around the doors and windows also contributes to the striking yet harmonious appearance of the whole structure.

► Des colonnes torses cannelées encadrent la porte principale

The main doorway is framed by fluted, twisted columns

◄ Un lanternon surmonte la tour agrémentée de deux terrasses

The tower is ornamented by two balconies and topped by a lanternon

The façades of the Hôtel d'Assézat —elegant in both their classical proportions and their stone and brick composition— give this building a truly palatial feel. The most prestigious of the Renaissance buildings in Toulouse, was created by Pierre d'Assézat around 1555. Assézat's fortune was derived directly from the lucrative woad trade. He was twice elected as a Capitoul, but was later chased by the parliament of Toulouse, before being bankrupted by the arrival of indigo into the market.

His hôtel was acquired in the 19th century by the Banque Ozenne, later donated to the city of Toulouse to house the intellectual societies of the town, as well as that of the famous Académie des Jeux Floraux, founded in 1323.

La fondation Bemberg

La Fondation est un établissement privé et autonome, reconnu d'utilité publique. Son créateur, monsieur Bemberg, a tenu à offrir ses collections au public, dans le cadre prestigieux de l'hôtel d'Assézat superbement restauré conjointement par la ville de Toulouse et la Fondation Bemberg.

Parmi les œuvres exposées par la Fondation, la peinture occupe une place privilégiée, représentée par deux étapes capitales de son histoire.

En premier lieu, le visiteur peut découvrir un nombre important d'œuvres de la Renaissance et du XVIIe siècle.

À travers les œuvres de François Clouet, de Cranach, de Pieter de Hooch, de Pourbus ou du Tintoret, ce sont les principales écoles européennes qui sont représentées en ces lieux, et, avec elles, un large panorama d'Art et d'Histoire.

Autre renaissance à bien des égards, l'École Française moderne constitue le second courant largement évoqué par la collection Bemberg.

Manet, Pissaro, Dufy, Vlaminck et la plupart des grands noms de cete école proposent une vision détaillée de la peinture, à la charnière du XIXe et du XXe siècle. Impressionnisme, pointillisme, les principaux courants modernes sont ici exposés avec une prédilection pour l'école fauve. La Fondation conserve également un ensemble unique regroupant 28 toiles de Bonnard.

Soulignant l'intimisme de la collection de peinture, des bronzes de la Renaissance, des objets d'Art venus de différents pays d'Europe et des livres rares, présentent au public l'image vivante du goût d'un grand collectionneur.

Andrea Previtali
(peintre italien vers 1470/80-1528) :
Portrait de jeune homme au bonnet noir.
Huile sur panneau

Andrea Previtali
(Italian painter, circa 1470/80-1528):
Portrait of a young man in a black cap.
Oil on board

Claude Monet (1840-1926) :
Bateaux sur la plage à Étretat — 1883. Huile sur toile

Claude Monet (1840-1926):
Boats on the beach at Étretat — 1883. Oil on canvas

The Bemberg Foundation—independently run and privately funded—is widely recognised for its contributions to the realm of fine art exhibitions. Its founder, Mr Bemberg —had a great wish to show his vast collections to as wide a public as possible, and in surroundings befitting their magnificence. The Hôtel d'Assézat— where this collection is on permanent display— has been suitably and superbly restored thanks to an impressive restoration project, jointly funded by the Bemberg Foundation and the City Council of Toulouse.

Painting has pride place in the works of the collection and represents two important movements in Art history.

First and foremost is a panorama of important paintings from Renaissance and 17th century masters, with works from François de Clouet, Cranach, Pieter de Hooch, Pourbus and the Tintoret representing the principal European schools of Art.

Another important renaissance of arts—that of French Modernism—constitutes the second wave of art kept here on display. Manet, Pissaro, Dufy, Vlaminck, and most of the other noteworthy artists of this era give detailed coverage of the paintings produced at this crossroad between the 19th and 20th centuries. Impressionism and Pointillism are the principal modernist influences to be found here, with special reference to Fauvism. The foundation is also home to an exclusive collection of 28 canvases by Bonnard.

Contrasting with the intimism of the collection of paintings, there is a series of Renaissance bronzes, European objets d'art and rare books highlighting the eclectic yet impeccable artistic tastes of this important collector.

LES HÔTELS PARTICULIERS

« Une maison de distinction habitée par une personne de qualité » voilà la définition de l'hôtel particulier telle que l'écrivait au XVIIe siècle l'architecte d'Aviler.

Après le gigantesque incendie qui ravage une grande partie de la ville en 1463, Toulouse renaît de ses cendres ; un véritable siècle d'or s'ouvre alors devant elle grâce à une petite plante aux vertus tinctoriales —le pastel. Le négoce des « coques » formées par les petites fleurs jaunes, une fois séchées et pressées, apporte prospérité et richesse et crée une nouvelle classe sociale dont seront issus des marchands, mais aussi, plus tard, des parlementaires.

Afin d'asseoir leur position sociale et de marquer leur réussite financière, négociants et gens de robe font bâtir des hôtels particuliers pour lesquels ils font appel aux plus grands architectes de l'époque. Emblématiques et indispensables, des tours viennent compléter ces édifices afin de signifier l'accession de leur propriétaire à la charge de Capitoul, donc à la noblesse. Elles rivaliseront de hauteur, animant le ciel toulousain de toitures en poivrière, de terrasses, de balustrades et de lanternons.

Avec l'aide des ans, la violence du vent d'autan parviendra parfois à incliner la tête de certaines de ces tours vers le soleil couchant.

"A distinctive house occupied by a person of quality". Such is the definition of a Private Mansion according to 17th century architect, d'Aviler.

Toulouse soon rose from the ashes of the enormous fire that engulfed the greater part of the town in 1463, and was en route almost immediately for a gold-tinted century thanks to the amazing colouring and dyeing properties of the small woad plant. The trade of its "coques" (small balls formed once the plant's flowers were dried and pressed) brought prosperity and wealth, creating a new social class which would later give rise to powerful merchants and members of the legal profession.

Both to highlight their social position and to show off their financial success, woad merchants and members of the Parliament of Toulouse called upon the services of the greatest contemporary architects to build mansions befitting their status. Each was characteristically topped by an emblematic tower. The size of this tower was an affirmation of its owner's rise to the rank of Capitoul, and thus to nobility. The outline of these towers, seemingly in competition for the tallest rank, makes a distinctive contribution to Toulouse's skyline, with pepper-pot turrets, balconies, balustrades and lanternons.

Some now incline in the direction of the setting sun, as a result of the force of the Vent d'Autan from the East over the years.

Hôtel de Rabaudy de Paucy
ou « Maison de la Belle Paule »
—XVIᵉ siècle
Derrière cette porte, vivait Paule
de Viguier dont la beauté extraordinaire subjuga François 1ᵉʳ en 1533.
Le roi la surnomma « la belle
Paule », par la suite les Capitouls
durent même, par un édit,
l'obliger à paraître deux fois par
semaine à sa fenêtre, afin que
le peuple puisse l'admirer
et éviter ainsi les émeutes.

Hôtel of Rabaudy de Paucy
or "House of la Belle Paule"
—16th century
Behind this door lived Paule de
Viguier, by whose extraordinary
beauty François the First was so
captivated in 1533.
The King nicknamed her "la belle
Paule", and later the Capitouls wrote
an edict that she was to appear at
her window twice a week, so that she
could be admired by the general
public, thus avoiding riots.

Détail d'un modillon représentant un chien
Detail of a "modillon" representing a hound

Hôtel de Huc Boysson
—Capitoul— XVᵉ siècle
Fenêtre Renaissance
au larmier décoré
d'un motif végétal

Hôtel of Huc Boysson
—Capitoul— 15th century
Renaissance window,
with leafy motif decorated
dripstone

Portail de l'Hôtel de
Jean-Georges de Nupces
—Président du Parlement—
XVIIIᵉ siècle

Portal of the Hôtel
of Jean-Georges de Nupces
—President of Parliament—
18th century

Hôtel de Bernuy

Cet hôtel dont la construction se situe entre 1504 et 1530, perdit dès 1566 sa vocation d'habitation privée : collège de Jésuites puis collège Royal ou impérial s'y succèderont avant de céder la place au collège et au lycée Pierre-de-Fermat qui s'y trouvent aujourd'hui.

Jean de Bernuy —riche négociant pastelier, possédait une fortune telle, qu'elle lui permit de bâtir cette demeure digne d'un prince, mais aussi de payer, en 1525, la caution demandée par Charles Quint pour libérer François 1er. Ce « service » lui valut l'honneur de recevoir le roi et sa cour sous son toit en 1533. La mort de Jean de Bernuy vaut d'être citée car elle nous renvoie à ses origines espagnoles. Il paya de sa vie d'avoir organisé un combat entre des dogues et un taureau, ce dernier en s'échappant encorna ce personnage dont la vie comme la fin furent hors du commun.

Malgré son étroitesse, la première cour présente une grande variété d'éléments architecturaux —en pierre— combinant l'élégance classique du Val de Loire, la seconde Renaissance italienne et la redondance espagnole. Un arc surbaissé décoré par un superbe plafond à caissons supporte deux étages percés de fenêtres à croisillons flanquées de colonnes corinthiennes, tandis que le revers de la façade sur rue est fastueusement agrémenté par des galeries et des arcades.

Constructed between 1504 and 1530, this hôtel ceased to be a private home in 1566. First as a Jesuit teaching College; then as the Royal and Imperial College, before finally being given to the Collège and the Lycée Pierre-de-Fermat which occupy the building at present.

Jean de Bernuy was a wealthy woad merchant whose enormous fortune not only allowed him to build himself a residence fit for royalty, but also to pay the ransom demanded by Charles the Fifth to liberate François the First. This "service" afforded him the honour of receiving the King and his court under his roof in 1533. The way in which Jean de Bernuy met his death was, interestingly enough, linked to his Spanish origins. He had organised a fight between a bull and some mastiffs, but the bull escaped, goring him —an unusual death for a man whose life had been characteristically out-of-the-ordinary.

Despite its very narrow structure, the design of the first courtyard incorporates a wide variety of architectural elements in stonework —combining classical features from the Loire Valley, the second Italian Renaissance and Spanish redundancy. An obtuse arch —with its richly decorated coffered ceiling— supports two further floors pierced with lattice windows, each flanked by Corinthian columns. The other side of the façade opening onto the street is sumptuously embellished by galleries and arcades.

La tour hexagonale que Jean de Bernuy voulait « plus haute que celle de Monsieur le Procureur » est scandée jusqu'à la terrasse sur faux mâchicoulis par des fenêtres et des bustes —hélas usés. Des gargouilles s'échappent sous la balustrade ajourée dans le style flamboyant.

The hexagonal tower that Jean de Bernuy wanted to be "taller than the tower of the town's public prosecuter" is highlighted up to its balcony on false machicolations, by windows and carved busts —unfortunately now very worn.
Gargoyles jut out underneath a Flamboyant pierced balustrade.

Un angelot anime la base de la tourelle sur trompe qui s'appuie contre la tour
A small angel figures at the base of the squinch turret that presses against the tower ▼

Sculptée dans la pierre, la devise « si deus pro nobis » portée par le lion de Bernuy

Sculpted in stone, the moto "si deus pro nobis" is carried by a lion —emblem of Bernuy

L'accès à la deuxième cour, datant de 1504, se fait par un passage de style gothique, plus austère, avec ses trois coupoles de brique et ses croisées d'ogives posées sur consoles

Access to the second courtyard, which dates from 1504, is gained through an austere Gothic-style corridor, its three brick cupolas with ribbed vaults placed over consoles
▼

Hôtel Béringuier Maynier
ou « Hôtel du Vieux Raisin »

Situé dans le quartier parlementaire, cet hôtel du XVIᵉ siècle est désigné sous le nom de Béringuier Maynier —Capitoul et professeur de droit— ou sous le nom d'Hôtel du Vieux Raisin —ancienne appellation de la rue.

Situated in the parliamentary quarter of the old town, this 16th century hôtel is known by two names: ßéringuier Maynier (Capitoul and Professor of Law) or Hôtel du Vieux Raisin (after the former name of the street on which it is sited).

La richesse des décors de pierre, cariatides, atlantes, faunes, chérubins et autres personnages engainés encadrant les fenêtres, témoigne de l'art de la deuxième Renaissance et de son goût pour l'Antiquité.
Certaines de ces sculptures sont attribuées à Nicolas Bachelier ou à un artiste ayant subi son influence.

The rich pattern of stone —caryatids, telamones, faunes, cherubs and other gained personages which frame the windows— bears witness to the art of the Second Renaissance and its fashion for Roman classicism.
Some of these sculptures are attributed to Nicolas Bachelier, or to an artist influenced by his work.

Des médaillons sculptés en haut-relief séparent, le long de la tour, les fenêtres à meneaux aux pilastres ornés de candélabres.

Mullioned windows decorated by candelabras, are separated along the length of the tower by high relief sculpted medallions.

73

Hôtel de Dahus

Cet hôtel, datant de la fin du XVe siècle fut édifié par le Capitoul Pierre Dahus, il présente les caractéristiques de l'architecture de style gothique flamboyant avec ses créneaux, gargouilles, mâchicoulis et ses imposantes fenêtres à meneaux .
L'ensemble des bâtiments, très étendus, fut fractionné vers 1510 puis éventré par le percement de la rue Ozenne en 1908.
Le parlementaire Guillaume de Tournoer continua, vers 1532, la construction de la tour hexagonale et de sa tourelle à encorbellement et fit ajouter les décors des fenêtres et les pilastres où l'on retrouve l'influence de Nicolas Bachelier et de la Renaissance.

This hôtel dates from the end of the 15th century, and was commissioned by Capitoul, Pierre Dahus. It is resplendent with Gothic-style architectural features, such as crenellations, gargoyles, machicolations and imposing mullioned windows. The group of buildings making up the estate of this hôtel were, however, partially split apart in about 1510, and then later completely separated by the construction of rue Ozenne in 1908.
The construction of the hexagonal tower and its corbelled turret was re-started circa 1532 by member of Parliament, Guillaume Tournoer, adding the window decorations and small pillars characteristic of the influence of Renaissance style and of Nicolas Bachelier.

Hôtel de Clary ou « Hôtel de pierre »

La construction de cet hôtel fut d'abord confiée à Nicolas Bachelier, vers 1537, par Jean de Bagis —Président du Parlement.

Au XVIIᵉ siècle, François de Clary, lui-aussi Président du Parlement, fait embellir la façade sur la rue de la Dalbade.

Afin de montrer l'étendue de sa fortune, il choisira de démarquer sa demeure par une large utilisation de la pierre —matériau bien plus rare et donc plus onéreux que la brique— qui lui vaudra son autre appellation d' « Hôtel de pierre » et fera parler les mauvaises langues qui affirmeront que les pierres proviennent des piles du Pont Neuf dont les travaux sont, à cette époque, sous le contrôle de François de Clary...

« il y a plus de pierres à l'hôtel de pierre que de pierres au pont ».

Jean de Bagis (President of the Parliament of Toulouse) originally commissioned Nicolas Bachelier for the construction of this hôtel in 1537.

In the 17th century, its façade which faces the rue de la Dalbade was embellished on the orders of François de Clary — President of Parliament at that time.

Desirous that the extent of his fortune be known and respected by all, he chose to decorate his dwelling by using vast quantities of stonework (stone being rare and thus much more costly than brick); and so his hôtel took its name from this cladding. (Rumour had it that the stones on the hôtel were appropriated from the Pont Neuf, then under construction, controlled by François de Clary, and that "there were more stones in the hôtel of stone than holding up the bridge".)

Les vieux hôtels rêvaient ...

« Les vieux hôtels rêvaient au fond des cours éteintes »
écrivait au début du XXᵉ siècle le poète Marc Lafargue.
Les ravages du temps et la folie des hommes ont mutilé au cours
des siècles bien des demeures dont ne subsistent parfois que
quelques vestiges, émouvants témoins de l'époque à laquelle ils
furent créés. Souvent cachés au fond d'une cour, ils attendent qu'on
vienne les découvrir.

Portail monumental de l'Hôtel de Puivert,
dit de Gardouch —XVIIIᵉ siècle

*Monumental portal of the Hôtel de Puivert,
also called Hôtel de Gardouch —18th century*
▶

Drapée dans son habit de feuillage, une statue, provenant peut-être des
ateliers Virebent, se cache au fond de la cour de l'Hôtel d'Avizard —XVIIᵉ siècle

Draped in a costume of leaves —eventually attributed to Virebent— ▶▶
a statue at the bottom of the courtyard of the Hôtel d'Avizard —17th century

Un immense mur
de brique protège
cette charmante
fontaine que sur-
monte une sphinge
énigmatique

*An immense brick
wall protects this
charming fountain,
surmounted by an
enigmatic sphinx*

... au fond des cours éteintes

"The old hôtels dream from the very bottom of their dim courtyards" wrote the poet Marc Lafargue at the start of the 20th century.

Many hôtels exist now only as small remnants of their former selves, having been wrecked or defaced by the foolishness of man and the ravages of time. Some poignant remains still stand at the bottom of courtyards, waiting to be discovered.

Poésie des ombres dans l'intimité de la cour de l'Hôtel Cassan qui accueille une statue en terre cuite

Patterned shadows in the intimacy of the courtyard of the Hôtel de Cassan, housing a terracotta statue

Vues de la cour de l'école Saint-Thomas d'Aquin, les fenêtres de L'Hôtel de Jean de Manzencal — Président du Parlement— xvie siècle

Seen from the courtyard of the school of St Thomas d'Aquinas, the windows of the Hôtel of Jean de Manzencal (President of Parliament) —16th century

Harmonie classique et sobriété des ornementations dans la cour de l'Hôtel de Jean-Georges de Nupces —Président du parlement— Début du xviiie siècle

Classical harmony and sober decoration in the courtyard of the Hôtel of Jean-Georges de Nupces —President of Parliament— Early 18th century ▶

Ici s'élevait, au xvie siècle, l'Hôtel de Jean de Pins, qui fut détruit lors du percement de la rue du Languedoc, et ensuite en partie reconstitué avec des éléments d'origine, comme les bustes en haut-relief placés au-dessus des arcades

The Hôtel of Jean de Pins, originally stood on this site during the 16th century, but was later destroyed by the construction of the rue du Languedoc. It was later reconstructed in part, using some original elements, like high relief busts placed above its arcades

77

LES PLACES ET LES FONTAINES

Saint-Étienne

Cette fontaine —la plus ancienne de Toulouse— fut élevée au milieu du XVIe siècle par Jean Rancy.

Plusieurs architectes, tel Antoine Bachelier ou Moratio Ferrari, y apportèrent ensuite des modifications lisibles sur les dates gravées : 1649 sur la poitrine des marmousets de bronze, 1720 sur la vasque réalisée en marbre de Saint-Béat, 1770 sur le socle de l'obélisque taillé dans du marbre de Sarrancolin.
On devine encore l'emplacement où les armoiries des Capitouls étaient sculptées autour du bassin inférieur.

The fountain at Place Saint-Étienne is the oldest in Toulouse and was constructed in the middle of the 16th century by Jean Rancy. Its original state was later modified by numerous architects such as Antoine Bachelier and Moratio Ferrari, as is testified by the dates engraved directly on it: 1649 on the breast of its bronze marmosets; 1720 on its Saint-Béat marble basin; 1770 on its Sarrancolin marble obelisk.
It is still possible to see where the coats of arms of the Capitouls were sculpted around the lower octagonal basin.

78

Saintes   Scarbes

Beaucoup plus récente, la fontaine de la place Saintes-Scarbes a dû renoncer à des effets de chute d'eau en cascades afin de ne pas troubler la quiétude de cette charmante petite place à la forme triangulaire.

The fountain at triangular Place Saintes-Scarbes is much more recent. It was originally equipped to cascade streams of pouring water. But this effect has been shut off, as its noise was found to be too loud for this charming little square in the quiet antique quarter.

Trinité

À l'emplacement de la chapelle des religieux de la Trinité fut inaugurée en 1826, sur un projet d'Urbain Vitry, cette élégante fontaine réalisée en pierre de Carcassonne et marbre de Saint-Béat. La silhouette élancée et ailée de ses cariatides de bronze se détache sur une belle façade du XIXe siècle qui témoigne par la présence de personnages mythologiques du goût de l'époque pour le classicisme à la romaine.

Crafted in stone from Carcassonne, and Saint-Béat marble, this elegant fountain is situated at the former site of the Chapel of the Order of Trinity. Designed by Urbain Vitry, it was inaugurated in 1826.
The slender winged outline of its bronze caryatids stands out distinctly against a 19th century façade, on which are featured attractive mythological characters distinctly linked to the penchant for classicism which was very popular at that time.

Roger Salengro

La fontaine de la place Roger Salengro —réalisée dans les fonderies du Val d'Osne— fut inaugurée en 1853. Elle participe au charme de cette place qu'habitèrent des personnages aussi célèbres que Pierre-Paul Riquet ou Jean Jaurès.

The fountain at Place Roger Salengro was cast in the foundries of the Val d'Osne, and was unveiled in 1853. Its graceful, striking features are particularly suited to this part of town, redolent with memories of famous former inhabitants such as Pierre-Paul Riquet and Jean Jaurès.

Olivier

Appuyée contre un mur ou au centre d'une place ou d'un jardin, chaque fontaine confère au lieu qui l'accueille un charme particulier dû à la présence des personnages qui l'animent. Ainsi place Olivier, une nymphe surmonte vasques et bassin tandis que tritons et angelots égayent cette fontaine offerte par la famille Olivier en souvenir de l'inondation désastreuse qui ravagea le quartier Saint- Cyprien en 1875.

Whether pressed against a wall, or as the centrepiece of a square or a garden, the special charms that each fountain lends to its surroundings derive greatly from the characters and images which decorate it. The fountain at Place Olivier, for instance, features a lofty nymph at the top of the highest basin and an assortment of lively cherubs on the lower basin. The fountain was donated by the Olivier family, in memory of the disastrous floods that ravaged the Saint-Cyprien area in 1875.

◄

Boulbonne ►

Place Boulbonne, le groupe allégorique, que l'on doit au sculpteur Labatut, représentant la Garonne offrant l'énergie électrique à la ville de Toulouse, fut remis en valeur en 1984 par l'architecte Bernard Calley.

The fountain of Place Boulbonne is the work of the sculptor, Labatut. It features a group of allegorical figures representing an image of the Garonne offering electrical energy to the city of Toulouse. It was restored to its current state by Bernard Calley —an architect from the Monuments Historiques.

Puits-clos ▶

Quant à la Psyché de Pierre-Bernard Prouha, elle a trouvé sa place entre les colonnes de marbre rose provenant de l'église de la Dalbade pour décorer, depuis 1984, l'espace de la place des Puits-Clos grâce à l'ordonnancement de Bernard Calley.

Since 1984, Pierre-Bernard Prouha's statue of Psyche has been on display at the Place des Puits-Clos, *as restored by Bernard Calley. It stands between columns of pink marble salvaged from the* Église de la Dalbade.

Saint-Michel — Lafourcade

À la fin du xixᵉ siècle, le sculpteur Alexandre Laporte réalisa cette fontaine symbolisant la rencontre de la Garonne —écartant les rochers pour se frayer un passage— et de l'Ariège. Tout d'abord installée dans l'enceinte du Jardin des Plantes, elle fut ensuite transférée place Lafourcade après un minutieux travail de calepinage pour lequel chaque pierre fut découpée et numérotée afin de retrouver sa place et venir décorer en 1982 un immense mur aveugle dans le quartier Saint-Michel.

At the end of the 19th century, sculptor Alexandre Laporte carved this fountain, representative of the meeting of the river Garonne —pushing apart the rocks to make her way— with the river Ariège. Initially situated in the Jardin des Plantes, it was later carefully moved—stone by numbered stone— and rebuilt at Place Lafourcade, in the Saint-Michel area, where it stands, back to back, against a huge wall.

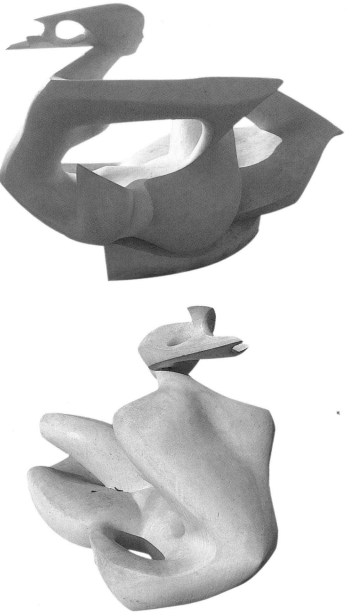

Jean Jaurès — Arménie

Aux formes épanouies de la féminité triomphante, telle que représentée au XIXe siècle, viennent répondre en 1987 les courbes elliptiques de l'œuvre de A.Saura située place d'Arménie sur les allées Jean Jaurès.

The modern elliptical curves found in A.Saura's (1987) fountain at the Place d'Arménie on the allées Jean Jaurès are in direct contrast with the very feminine styles represented in 19th century works.

À l'initiative de Louis de Mondran — architecte urbaniste — un programme d'embellissement aboutit au XVIIIᵉ siècle à la construction du Grand Rond à l'emplacement de l'ancien oratoire du «mont des oliviers».
Aujourd'hui son kiosque à musique accueille des concerts durant l'été et les amours naissantes tout au long de l'année.

Le Jardin Royal, en 1783, puis le Jardin des Plantes, en 1886, viendront compléter le projet initial d'un circuit de promenade entre les quartiers Saint-Etienne et Saint-Michel.

◄ Des passerelles fleuries traversent ou relient ces trois jardins entre eux. Ici, au Jardin Royal, le promeneur cèdera à l'invite des bancs où l'exubérance du feuillage se retrouve même dans le travail de l'artisan.

The construction of the Grand Rond at the end of the 18th century on the site of the ancient oratory of the "mont des oliviers" signalled the final phase of a programme of urban beautification initiated by Louis de Mondran —urban architect. Today, its bandstand hosts summer concerts, and is the setting for romantic liaisons all year round.

The Jardin Royal (1783) and the Jardin des Plantes (1886) were the last stages of the initial project, with the aim of providing a pleasant walk between the areas of Saint-Michel and Saint-Étienne.

◄ *Pretty flower-decked footbridges both cross and link the three gardens together. Even the park benches in the Jardin Royal, with their leafy green ironwork, reflect the abundant and marvellous greenery to be found there.*

Louis de Mondran —qui avait de l'ambition pour Toulouse et voulait en faire une métro-pole dynamique et accueillante pour que commerçants et industriels viennent s'y installer— avait déjà proposé, au XVIIIᵉ siècle, d'aménager l'espace où s'élevaient le rempart et la porte Villeneuve. Mais il fallut attendre les plans de Jacques-Pascal Virebent pour qu'au début du XIXᵉ siècle soit créée cette place charmante et har-monieuse qui allait devenir un des centres de la vie toulousaine avec ses cafés, restaurants, cinémas et boutiques.

En 1898, on installa en son centre, une fontaine réalisée par Alexandre Falguière, mettant en scène le poète Pierre Goudoulin, dit *Goudouli* (1580-1649). Rêvant près de sa muse alanguie —la Garonne, il tient dans la main *le Ramelet Moundi*, son recueil de poèmes écrit en occitan.

Louis de Mondran had high hopes for Toulouse. Even as early as the 18th century, he foresaw it as a dynamic and welcoming metropolis, with many attractions for business and industry. But his plans to construct a thriving city centre square in the the space from which rose the rampart and the Porte Villeneuve had to wait until the beginning of the 19th century. And it was finally the plans of Jacques-Pascal Virebent which led to the creation of the charming and bustling city square —with its cafés, restaurants, cinemas and boutiques— that make Place Wilson what it is today.

Its central fountain —created by Alexandre Falguière— was installed in 1898. Celebrating the poet Pierre Goudoulin (also known as Goudouli 1580-1649), it features the poet dreaming close to his langourous muse, the Garonne, holding a volume of his poems written in Occitan —le Ramelet Moundi.

89

LES PONTS JUMEAUX

À la fin des années 1770, les Ponts Jumeaux vinrent marquer la rencontre des eaux venues de la Méditerranée par le Canal du Midi et celles venues de la Garonne par le Canal de Brienne.

Un bas-relief en marbre de Carrare les sépare. Réalisé par François Lucas en 1775, il symbolise l'Occitanie, le bras tendu, ordonnant le percement du Canal des deux mers à deux petits génies.

On reconnaît, au fond, Toulouse derrière ses remparts ; à gauche, une représentation allégorique du Canal s'appuyant sur une vasque et à droite celle de la Garonne tenant une corne d'abondance dans la main.

Depuis ce bassin de l'embouchure, le Canal latéral qui assure la jonction avec l'Océan Atlantique, s'échappe par un troisième pont.

At the end of the 1770s, the Ponts Jumeaux came to mark the meeting point of the waters of the Mediterranean —via the Canal du Midi, and the waters of the Garonne —from the Canal de Brienne.

The two bridges are separated by a bas-relief in Carrara marble created by François Lucas in 1775. It symbolises Occitania, arm extended, giving directions to two small cherubs to break through the Canal of the Two Seas. In the background, Toulouse figures behind its ramparts; to the left is an allegorical representation of the Canal pressing against an urn, and at the right is the image of the Garonne, holding a cornucopia in her hand.

Water is circulated back out to the Atlantic Ocean via the Canal Latéral, under a third bridge.

Rencontre d'une technique de pointe de transports en commun —le Val— et de la création artistique contemporaine, le Métro de Toulouse offre à ses usagers 15 stations où artistes et cabinets d'architectes se sont exprimés par des œuvres dont la symbolique a donné un sens à l'espace public. Par sa structure architecturale autant que par son langage artistique chaque station s'intègre dans son environnement culturel.

Ainsi, à la station Mermoz, Christian Assalit et Christian Gout ont offert à Jean-Paul Chambas un espace scénographique dans lequel il a pu évoquer l'imaginaire de l'aventure de l'aéronautique et de l'espace. Dans la discontinuité de scènes multiples, les personnages ont « la tête dans les étoiles et les pieds dans le ciel ».

Alors qu'à la station Arènes, l'ampleur et l'éclairage du volume conçu par Jean-Marie Bardin ont permis à Olivier Debré d'accompagner le mouvement des foules par de grands signes bleus dont le rythme tonique et vivifiant évoque le va-et-vient de la vague.

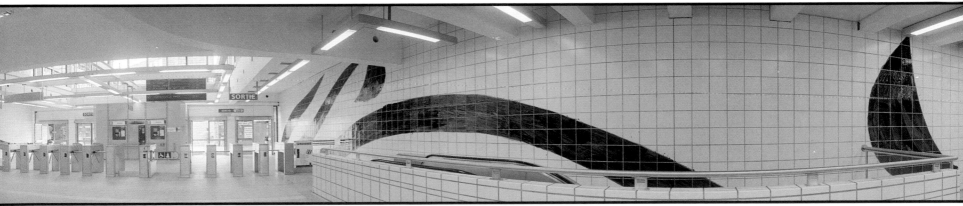

In the Métro of Toulouse high-tech public transport —le Val— meets with contemporary art and architectural design. The 15 métro stations are characterised by works which use their spaces as open galleries —thus bringing art into the public domain.

The Mermoz station is a fine example of this theory being put into successful practice. Designed by Christian Assalit and Christian Gout, it has a vast interior which lends itself well to an amazing artistic display of scenes and images from the worlds of aviation and space exploration. Created by artist Jean-Paul Chambas, a multitude of different scenes portrays characters quite literally with "their heads in the stars and their feet in the sky."

The station at Arènes exemplifies the diversity of the use of each specific space both by and for Art's sake. Here, the large, airy interior designed by Jean-Marie Bardin features decoration by Olivier Debré. His large, dynamic, bright blue motifs blend with the tides of passengers moving through the station, creating a refreshing feeling of waves coming and going.

Station Fontaine-Lestang : Hervé et Richard Di Rosa. *Guerrier nègre dansant* /Dancing negro warrior

93

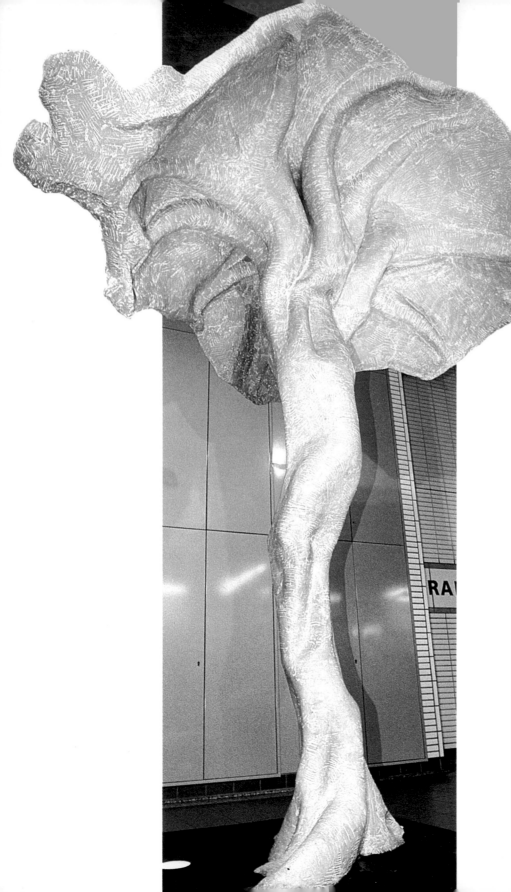

La station Mirail-Université

La réalisation de la station Mirail-Université a été confiée aux architectes Bernard Bachelot, Francis Balland et Pierre Glénat qui ont su —par la présence d'une passerelle située sur le toit de la station ainsi que par un éclairage naturel diffusé par deux puits de jour— intégrer l'espace sous-terrain à l'espace aérien.

C'est dans cet environnement volontairement géométrique que l'œuvre de Daniel Coulet a été choisie pour que la vie exulte dans le formidable élan vital d'un monde végétal représenté ici par un arbre fleur qui prend ses racines dans l'asphalte du quai et par une fleur stalagmite qui trouve là, sa dimension géologique.

Ébauchées sur les murs, leurs silhouettes traduisent la recherche conceptuelle de l'artiste avant que le modelage de la résine sur une structure de fer ne donne naissance à ces sculptures immenses (plus de 4 m de haut) qui envahissent l'espace par une symbolique liée à la vie et à la connaissance.

The contract for the creation of the station Mirail Université was won by the architectural firm of Bernard Bachelot, Francis Balland and Pierre Glénat. At this site, they have cleverly integrated space both above and below ground by building a footbridge into the roof of the station, and by allowing as much natural light as possible by incorporating two large light shafts into the ceiling.

The work of sculptor Daniel Coulet is featured inside this station. His powerful interpretation of the greatness of the plant world is represented by a flower tree, with its roots set into the asphalte of the platform, and a nearby stalagmite flower —thus incorporating a geological dimension into his creation.
The silhouettes of this tree and of this flower —also sketched onto the walls— show the work of the artist before the iron structures were given a form by the resin casts in the process of making these immense sculptures (more than 4 metres high), symbolic of both life and knowledge.

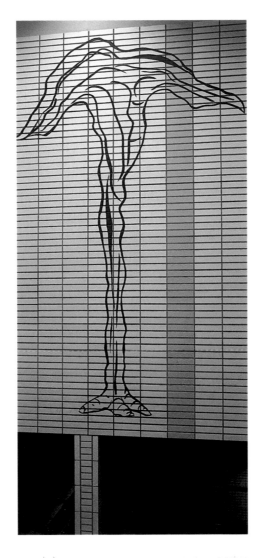

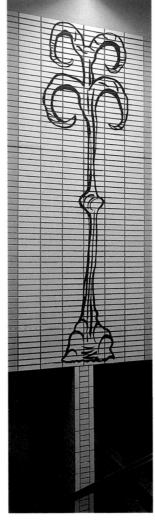

Station Fontaine-Lestang :
Hervé et Richard Di Rosa,
Sculptures-jeux / Games in the form of sculptures

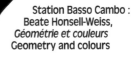

Station Basso Cambo :
Beate Honsell-Weiss,
Géométrie et couleurs
Geometry and colours

95

Ce livre a été publié
grâce au mécénat de la Caisse d'Épargne de Midi-Pyrénées

This book was published
thanks to the patronage of the Caisse d'Épargne de Midi-Pyrénées

Crédit photos :

Pages 66 et 67, photos studio Lourmel 77
Page 59, photos J-F Peiré

Traduction/*English version*
Chantal Cabanel - Inard

assistée de/*assisted by*
Sara Butler - Rudgyard

Crédit textes :

Pages 66 et 67
Monique Cau — Fondation Bemberg

© Éditions Daniel Briand
Panayrac - 31280 Drémil-Lafage — Téléphone : 61 83 95 78 — Télécopie : 61 83 97 90

Maquette : Georges Rivière - Studio Stéphan Arcos —Toulouse / Photogravure : Chrom' Arts Graphics —Toulouse / Impression : Imprimeries Fournié —Fonsegrives